DUEL ROUGE

François Missoffe

DUEL ROUGE

Éditions Ramsay

© *Éditions Ramsay, 1977*

ISBN : 2-85956-006-8

Table des chapitres

CHAPITRE PREMIER
La paix impossible

Une nuit de l'été 1976, à Pékin, le 9 septembre, peu après minuit, le président Mao Tsétoung meurt. La lutte pour la succession de ce paysan du Hounan, qui fit basculer le quart de l'humanité et comprendre au monde qu'après des siècles d'absence, la Chine venait reprendre sa place, est engagée depuis cinq mois dans le secret de la Cité interdite.

Le 18 septembre, à la cérémonie des funérailles, porte de la Paix céleste, ils sont quatre, côte à côte, à la tribune pour présider le deuil, MM. Hua Kuo-feng, Wang Hong-wen, Chang Chun-chiao et Mme Chiang Ching, la veuve de Mao. Dix-huit jours plus tard, seul le premier est au pouvoir, M. Hua Kuo-feng. Les autres sont tombés dans la trappe. Ils étaient les loups-garous de la révolution permanente, le clan de Chang-Haï, les idéologues utopistes dont l'économie est le moindre souci. Dans les communiqués officiels, ils sont désormais « la bande des quatre » qui a voulu assassiner M. Hua. Les journaux muraux, les « Dazibaos » étalent dans les villes leurs caricatures grotesques sous les traits répugnants d'animaux mal aimés : le corbeau, le cochon, le chien puant, la hyène ricanante. L'un est accusé d'avoir importé cinq cent cinquante films pornographiques scandinaves, l'autre d'être un renégat qui a dépensé en quelques mois l'équivalent de trente ans de salaires d'un ouvrier. Les modérés ont gagné la lutte pour le pouvoir. La tunique de César ne se partage pas.

De tous les étrangers, les Soviétiques sont les observateurs les plus inquiets de cette Chine qui se cherche. Depuis deux décennies, le Schisme déchire le monde communiste. Dans tous les continents, dans tous les pays d'Asie que je parcours, tantôt officiellement, tantôt à titre privé, et jusqu'au sein des conférences des pays non alignés, le conflit implacable qui oppose Russes et Chinois domine tout.

Si une guerre éclate entre la Chine et la Russie, elle ne se limitera pas à la Chine et à la Russie. Tout le monde sera entraîné et personne ne peut savoir jusqu'où cette catastrophe nous mènerait. Le malheur est que la confrontation se développe au moment où une crise de confiance épuise l'Occident. La société de consommation dans laquelle nous avons plongé ne satisfait personne. Pas même ceux qui en profitent. On ne croit plus à grand-chose, on ne sait plus très bien pourquoi on vit et quel but on peut donner à la vie.

Pendant que l'Occident est en quête d'un nouvel équilibre, les Soviétiques — c'est un phénomène qu'on ne peut nier — bâtissent un formidable outil militaire tendu vers un seul objectif : l'établissement du communisme totalitaire dans le monde. Plus nous apparaissons comme minés, et, disons le mot, pourris, plus les Russes avancent. Alors que nous traversons une crise d'idéologie, eux au contraire mettent en place une stratégie mondiale au service de leur dogme.

Si les Chinois ont raison, l'affrontement sino-soviétique débouchera un jour sur un conflit armé dont l'Europe serait la première victime. Les Chinois ont-ils raison ?

*
* *

L'avenir de la Chine est chargé d'incertitude. Depuis la mort de Chou En-laï, en janvier 1976, elle ne cesse d'affronter des tempêtes.

Les intempéries du printemps ont compromis les récoltes. Les champs et les rizières ont produit moins de 300 millions de tonnes de céréales alors que les besoins minimaux sont de 400 millions. Deux séismes ont ébranlé le Sé-Tchouan et Tang shan, rasant des villes ouvriè-

res, tuant 700 000 personnes, et déséquilibrant,
même à long terme, l'infrastructure industrielle
du Nord de la Chine. Des grèves, des manifestations ont précipité l'agitation, du vivant même
de Mao, chez les travailleurs des aciéries et des
mines de charbon. Des troubles, anciens et
récents, perturbent et mettent en danger le
centralisme du pouvoir. Les revendications sur
les salaires et les conditions de travail trouvent
un terreau fertile dans une opinion déboussolée
par les volte-face perpétuelles en politique intérieure ou extérieure. Les responsables locaux
perdent leur autorité, usés d'avoir publié et
apposé tant de journaux muraux contradictoires, d'avoir organisé tant de « manifestations
spontanées » pour et contre les mêmes personnages, d'avoir été eux-mêmes contestés tout en
s'agrippant à leur petit ou grand pouvoir.

Depuis la mort de Chou En-laï, les manifestants de la place de la Paix céleste ont obtenu, le
5 avril, la tête de M. Teng Hsiao-ping, le chef du
parti des modérés, un homme qui a toujours été
mêlé, au côté de Mao, à toutes les grandes
opérations et, en particulier, à la rupture avec
l'U.R.S.S. Désigné par le président Mao Tsé-
toung comme Premier ministre, il avait mis la
main sur l'armée, dont il était le chef d'état-
major général, sur le parti et sur la milice.

Quand Mao Tsé-toung meurt, celui qui
détient le mandat du ciel est M. Hua Kuo-feng.

Il a été désigné par le président lui-même après la chute de M. Teng. Désigner, le mot mérite peut-être une nuance. Car, dans les derniers mois, Mao Tsé-toung est si diminué qu'il s'exprime par une sorte de grognement. Les Chinois, dont la pudeur est exigeante, veulent cacher son grand délabrement. Ils le mettent à part, publient de temps en temps un poème inédit afin de prouver qu'il est toujours en pleine possession de ses facultés.

M. Hua est hors clan. Il est comme Chou Enlaï qui réussissait par sa personnalité à s'imposer à tout le monde. Par sa personnalité et par son passé qui le mettait à l'abri des critiques et des contestataires. M. Hua, lui, malgré son mandat, doit se faire légitimer. Il a besoin de gigantesques défilés, d'une iconographie publique, d'un battage publicitaire orchestré par la propagande officielle, donc de l'investiture du peuple. Il a besoin aussi de l'adoubement des hiérarques de l'Assemblée populaire nationale et du comité central du parti. En décembre 1976, il tente de se présenter devant l'Assemblée, mais la manœuvre avorte. Son pouvoir n'est pas assez établi.

M. Hua est amené à composer, plus qu'il ne le faudrait, avec les militaires, mettant en péril sa propre position. Car les sympathies des militaires — les véritables hommes forts du régime — vont à M. Teng Hsiao-ping.

La politique des modérés au pouvoir, en dépit des troubles et des incertitudes, est la continuité. Ils ne remettront pas en cause les grands principes de la politique étrangère chinoise. Et la clé de cette politique, c'est la hantise d'une attaque soviétique.

*
* *

Face à cette Chine qui se cherche, une Russie qui, elle, s'est trouvée. L'Union soviétique a consacré ces dernières années 10 à 11 % de son produit national brut à ses dépenses militaires. A titre de comparaison, le budget de la Défense représente 3,4 % du P.n.b. en France et 6 % aux États-Unis.

L'amiral Serge Gorchkov, petit-fils de moujik, a réalisé le rêve des Romanov et construit une flotte d'une puissance fantastique : 300 submersibles d'attaque ; 4 porte-engins de la classe du *Kiev* (42 000 tonnes) ; 226 navires de guerre. Les arsenaux soviétiques lancent en moyenne un sous-marin atomique par mois. Ces forteresses en mouvement peuvent porter la foudre nucléaire ou le simple feu de la guerre classique en tout point du monde.

L'Armée rouge peut aligner 166 divisions. Sur le front chinois, elles ne sont que 43. Les optimistes y verront un désir de paix. Mais une invasion de la Chine n'a pas de sens. Si Moscou a l'intention de la neutraliser, il usera des fusées atomiques. Or l'état-major russe étudie au cours de ces années 70 une quinzaine de nouveaux types de missiles. Et les Russes seront capables, au cours des années 80, de placer une fusée inter-continentale dans un rayon de 100 mètres autour de la cible. Au lieu de 400 mètres aujourd'hui.

Les faucons américains font remarquer que le Kremlin a fortifié et enterré — jusqu'à 100 mè-tres de profondeur — 35 000 installations mili-taires. Des abris ont été construits : d'ores et déjà, ils peuvent accueillir 60 millions de personnes et regorgent de stocks alimentaires. L'état-major et les autorités civiles sont prêts à rejoindre 75 souterrains équipés de tout le maté-riel nécessaire pour diriger le pays en cas de conflit nucléaire.

Évitons de nous laisser prendre au piège des alarmistes qui noircissent le tableau de l'équili-bre de la terreur tous les hivers, au moment où le Congrès discute à Washington des crédits mili-taires. Les voix, qui trouvent des échos dans le monde entier, ont une source bien connue : les services de relations publiques des industriels américains de l'armement.

Il demeure que l'arsenal soviétique est préoc-cupant. Même si les États-Unis restent en tête. Même si l'Armée est utilisée en U.R.S.S. comme instrument d'unité nationale et creuset de 28 ra-ces. Même si les frontières russes sont les plus longues du monde.

Il demeure que l'observateur doit se poser la question : « Pourquoi toutes ces armes ? Une nation qui se dote de tels moyens peut, un jour, être tentée de s'en servir. »

La Chine a été la première à dénoncer le danger de cette expansion soviétique dont l'Occident serait fatalement victime. Le conflit entre Pékin et Moscou ne date pas d'hier. La Chine a été dépecée jadis par les puissances étrangères — dont les Russes. Elle a pu recouvrer pratiquement tous ses territoires, sauf ceux pris par les Soviétiques sur les marches du Sinkiang ou de Mongolie. Et les Soviets, de surcroît, campent sur la frontière de l'Oussouri.

A la hantise des Chinois répond l'inquiétude des Soviétiques. Moscou s'inquiète du développement de l'influence de Pékin dans l'ensemble de l'Asie. Moscou s'alarme du poids que la Chine commence à prendre économiquement et surtout politiquement. Régulière et puissante comme la marée qui avale la plage, la Chine s'infiltre partout en assurant qu'il n'est pas question pour elle d'exporter la révolution. Elle pénètre en tant que grand suzerain de l'Asie, en tant qu'Empire du Milieu. Et Moscou s'inquiète.

Voilà trente ans que j'arpente ce continent, que je rencontre ses chefs, que je recueille leurs convictions et leurs doutes. Tous se posent la question et tentent d'y répondre.

A mon tour de témoigner en essayant d'éclairer, à travers des souvenirs anciens et récents, ce qui aujourd'hui apparaît comme l'amorce d'un bouleversement dans l'équilibre du monde et dont l'évolution semble obéir à une logique implacable.

CHAPITRE 2
Où l'auteur découvre l'Asie

L'Asie, pour un jeune Français qui débarque, c'est un mélange de fascination et d'angoisse. C'est l'impression insoutenable d'un monde qui se découvre, se redécouvre et se cherche à travers une logique qui nous échappe totalement. Ma première rencontre avec l'Asie a eu lieu à Calcutta en janvier 1945. A l'époque, je suis lieutenant dans les services de renseignements, la D.G.E.R. Le général de Gaulle nous envoie là-bas. Mission : reprendre contact, par tous les moyens, avec l'Indochine occupée par les Japonais. Comment ? C'est à nous de nous débrouiller.

Je suis donc à la Force 136, à Calcutta, et, d'emblée, je reçois l'Asie en plein visage : les foules, la misère, les religions différentes, une autre civilisation, un monde totalement nouveau. La cohabitation — que j'ai retrouvée ensuite ailleurs, à Hong Kong, par exemple — la cohabitation choquante, à quelques mètres, d'un dénuement antique et d'un luxe écrasant. Pas d'exotisme ici. Les gens qui meurent dans la rue, la ribambelle des gosses, la mendicité, les problèmes de castes et de classes. Et, par-dessus tout, l'ombre d'un destin qui frappe ces gens-là. Puisqu'ils acceptent de mourir, sans mot dire, de faim et d'indigence. Quels drames, le jour où tous ces miséreux prendront conscience de leur misère ! La révolution a ici un théâtre et une situation. Qu'on prenne garde au jour où les acteurs s'éveilleront.

Et encore y a-t-il, à cette époque, l'armée britannique. Le temps n'est pas loin où Winston Churchill a écrit à sa mère : « Je serai toujours heureux d'avoir vu Calcutta parce que, à tout jamais, il ne sera plus nécessaire pour moi de la voir. »

CHAPITRE 3

Un hobereau
de l'ancienne Chine

De Calcutta, où nous nous sommes entraînés, nous gagnons Kun-Ming, en Chine, afin de nous rapprocher de notre objectif, l'Indochine. Avec Jean Sainteny, nous formons la « mission n° 5 ». Les renseignements sur ce qui se passe dans la colonie française occupée font presque totalement défaut et nous sommes décidés à parachuter des agents sur le Tonkin pour aller « à la cueillette ».

Kun-Ming, c'est un deuxième visage de l'Asie : la Chine féodale. Le général Tchang Kaï-chek est à la tête du pays. En théorie. Car l'armée, à Kun-Ming, est dirigée par le général Lu Han qui est le gouverneur de la province du Yunnan, c'est-à-dire qu'il en est pratiquement le propriétaire. Il est malaisé — et même impossible — pour un esprit moderne de concevoir que quelqu'un peut être propriétaire du Yunnan. A la limite, ça n'a pas de sens. Que l'on consulte une carte. Cette province est grande comme les deux tiers de la France et, qui plus est, très riche.

Les pratiques de la vie, les coutumes, les manières, les mœurs et même les excès sont ici très différents de ce qu'ils sont en Inde. Et le système de classes est tout aussi dissemblable : au faîte d'une pyramide, les vieilles familles chinoises qui ont le pouvoir et l'argent. A la base, la foule considérée comme du bétail et traitée avec une extrême sauvagerie. Mais en dépit de tout, une gaieté des villes que l'Inde ignore : le bruit, la lumière, l'agitation des passants. Une ville chinoise, la nuit, c'est un monde qui bouge. Il y a des quantités de petits colporteurs qui déambulent : ils vous vendent même de l'eau pour se laver. Une vieille, qu'on croit tombée d'une estampe d'autrefois avec son fléau sur l'épaule, passe toujours devant la maison où nous logeons. Sur un plateau du fléau, une cuvette et un broc empli d'une eau innommable. Sur l'autre plateau, une brosse à dents et un verre. On donne une petite pièce et on se lave les dents et on s'essuie avec la même serviette que tout le monde, une serviette noire, infecte. Quand nous jouons au bridge, entre nous, il y a toujours quelqu'un qui menace le perdant d'avoir à se laver les dents chez la vieille.

La prostitution commence à onze ou douze ans. Et une enfant chinoise de douze ans a l'air d'avoir douze ans, pas plus. La mendicité... Tout changera avec l'arrivée de Mao Tsé-toung dont

l'œuvre, à cet égard, sera prodigieuse. Il appor-
tera la pureté, l'ordre. Au détriment, c'est vrai,
d'un certain mode de vie. Les villes chinoises
seront plus tristes désormais. Mais si l'on doit
acheter la gaieté au prix du vice, de la corruption et des souffrances, il vaut mieux être triste.

CHAPITRE 4

Comment les Américains mettent des bâtons dans les roues

Nous sommes arrivés à Kun-Ming en avril 1945. Le 7 août, la bombe atomique pulvérise Hiroshima. Le Japon s'effondre. Le temps presse pour nous de gagner l'Indochine. Et voici que nous prenons connaissance d'un accord secret : le 2 août, en Allemagne, à Potsdam, Joseph Staline le Russe et Harry Truman l'Américain se sont entendus sur notre dos, en notre absence. L'Indochine sera divisée en deux à la hauteur du 16ᵉ parallèle. Le Nord sera occupé par la Chine et le Sud par les Anglais. Pour les Français : rien. L'attitude déloyale des Américains à notre égard est déjà le résultat d'une analyse politique qui ne sera remise en question que par la défaite américaine au Viêt-nam.

Le 16 août, nous décidons de prendre le risque de débarquer à Hanoï. Il faut trouver un moyen. Kun-Ming est la plus grande base aérienne de l'U.S. Air Force en Asie. La fréquence est d'un décollage ou d'un atterrissage toutes les quarante-cinq secondes. Le seul moyen d'aller à Hanoï est d'avoir un avion américain. Mais là, obstruction d'une totale mauvaise foi.

« Nous prenons tous les risques, ça n'a aucune importance, nous irons à trois ou quatre, pas plus, plaide Jean Sainteny.

D'accord, répondent les Américains, venez demain matin. »

On arrive à 3 heures du matin. Pas d'avion : « Il est retardé. » Par chance, un appareil d'Air France passe avec, aux commandes, un pilote français très connu, Fulachier. Il accepte :

« Je vous emmène, évidemment. »

Cette fois ce sont les Chinois qui empêchent l'avion de nous prendre. Finalement, après six jours de tergiversations, le 22 août à 3 h 30 du matin, et après de nouvelles difficultés, nous pouvons décoller à bord d'un avion américain. Le pilote a une enveloppe d'instructions qu'il décachète en vol seulement : faire le maximum pour empêcher notre mission. Avec un programme précis. Nous arrivons à 13 h 30 à la verticale d'Hanoï où l'on n'a pas vu un appareil allié depuis des mois. Et le pilote exécute le plan américain : vingt-cinq minutes de démonstration aérienne afin que les Japonais qui sont toujours là, qui occupent le pays, nous préparent un « comité d'accueil ». Alors que la porte de l'avion est ouverte en vue de notre saut, le pilote prend les rues d'Hanoï en rase-mottes et se lance dans des acrobaties. En plein jour.

Nous décidons de larguer trois parachutistes sur le terrain, pour voir. A l'arrivée, ils feront signe : ou le reste sautera ou l'avion se posera. L'avion peut se poser. Immédiatement, nous sommes entourés par trois ou quatre cents Japonais avec des automitrailleuses. Alors que nous étions quelques pouilleux. Spectacle grotesque. Les Japonais nous enferment dans le palais du gouverneur général.

CHAPITRE 5

Une visite à l'oncle Hô

J'ai vingt-cinq ans cette année-là. Plus tard, dans le gouvernement du général de Gaulle, nous serons plusieurs à avoir vécu cette aventure indochinoise. Jean Sainteny, bien sûr. François-Xavier Ortoli qui, lui, est venu à pied de Chine quelque temps après nous. Et Pierre Messmer, parachuté dans le Nord du Tonkin. Nos commandos comptent trois, quatre hommes, pas plus. Ceux qui sont avec Pierre Messmer sont tués et quand nous le récupérons, il pèse dans les cinquante kilos.

Un jour, par miracle ou par chance, je réussis à tromper mes gardiens japonais et, quelques instants plus tard, je rencontre Hô Chi Minh et tous ses compagnons. Les Japonais nous ont placés, dès notre arrestation, au quatrième étage du palais du gouverneur général, une immense bâtisse. Peu à peu, on descend d'un étage. Les soldats japonais surgissent en hurlant et nous remontent. Mais ils s'accoutument à nous et ils

nous autorisent même à marcher dans le parc
entre deux traits blancs, escortés de trois
Nippons. Puis de deux. Puis d'un seul. Ils nous
laissent aller jusqu'à la clôture et nous aperce-
vons quelques visages de Français dans la rue.
Un jour, mon gardien s'éloigne, je fonce sur la
porte et je me trouve dans Hanoï.

Je ne connais pas la ville mais je sais que le
gouvernement vietminh siège en face d'un hôtel
nommé Métropole. J'y vais sans presser le pas et
j'entre. Comme je suis en combinaison de para-
chutiste avec « France » sur l'épaule et mes deux
galons, le poste de garde vietminh, qui est formé
d'anciens tirailleurs de l'armée française, se met
au garde-à-vous. Je salue, j'entre et je tombe sur
plusieurs ministres du gouvernement d'Hô Chi
Minh.

« Racontez-nous la résistance en France, l'occupation, le débarquement. Nous aussi, nous
sommes des résistants. »

Hô Chi Minh est petit, maigrichon, pas beaucoup de cheveux, une barbiche comme en ont
les vieux sages asiatiques. Il est gai, très curieux,
se renseigne sur tout, il fait parler beaucoup et il
sait écouter beaucoup. Aussi je le rencontrerai
souvent. Il est très sensible. Jamais il ne donne
l'impression d'avoir des idées faites une fois
pour toutes. Il peut revenir sur une idée parce
que, en écoutant un interlocuteur, il s'est laissé
convaincre. D'une culture vaste, il parle

couramment le français, le russe, le chinois, et peut soutenir n'importe quel débat dans les trois langues. Il a été en Chine, à Moscou, à Paris. Il habitait rue Nollet, dans le quartier des Épinettes, dont ma femme est actuellement député. Il était apprenti photographe. Sa vie entière a été une vie de militant. Pas un petit révolutionnaire de coin de rue, un révolutionnaire authentique. En un mot, Hô Chi Minh est un homme authentique. Il ne cherche jamais à composer un personnage qui n'est pas lui-même. Comme de Gaulle.

Hô Chi Minh a un sens national farouche. Il croit au destin de son pays et il ne comprendra pas l'attitude de l'amiral Thierry d'Argenlieu qui aura tendance à le considérer avec condescendance. Lui, il incarne son pays. De Gaulle, incarnant la France pendant la résistance, ne se sentait pas minuscule face aux Américains et aux Russes. « Comme je n'avais rien, confie-t-il dans ses Mémoires, il fallait bien que je m'accorde la toute-puissance. » Hô Chi Minh non plus n'admet pas d'être un citoyen de série B. Ce sont les gentilshommes pauvres qui ont l'orgueil sourcilleux.

Cet homme a un mépris total pour le côté matériel de la vie. Jamais il n'a eu la moindre tentation de profiter matériellement de quoi que ce fût. Ce philosophe est un croyant car son idée de patrie et sa conception du socialisme s'avoisi-

nent à un sentiment religieux. Le peuple vietnamien en fera un patriarche : l'oncle Hô. On
l'appelle l'oncle Hô, c'est l'oncle de tout le
monde. Il est pour les Vietnamiens ce que Mao
est pour les Chinois.

Sans conteste, ce 3 septembre 1945 quand je
rencontre Hô Chi Minh, il est possible de s'entendre avec lui, d'éviter ce qui sera la guerre
d'Indochine. Nous tentons, dans les mois qui
suivent et jusqu'à la conférence de Fontai-
nebleau, de faire comprendre au gouvernement
français qu'il est nécessaire d'envisager sous une
autre forme les relations avec l'Indochine. Paris
porte une responsabilité inéluctable et scanda-
leuse. M. Georges Bidault ne comprend rien. Il
a toujours un mépris grotesque pour « l'indigène ». L'indigène en question, il vaut, et de loin,
beaucoup de ministres français.

Une excuse peut-être : il était inconcevable,
pour un esprit français ou anglais, en 1945,
d'imaginer la fin du système colonial. En dehors
de quelques exceptions comme l'amiral Lord
Mountbatten.

CHAPITRE 6

Les tribulations d'un agent secret en Indochine

Ma rencontre avec Hô Chi Minh a lieu le 3 septembre. La veille, il a proclamé l'indépendance. Tout se précipite. Le 8 septembre, 200 000 Chinois de Tchang Kaï-chek envahissent le Nord de l'Indochine, appliquant les accords de Potsdam. Car si nous avons été floués par les Américains, Hô Chi Minh a été dupé tout autant par Joseph Staline qui a régalé nationalistes chinois et britanniques de l'Indochine entière et a abandonné les Vietnamiens. Il ne reconnaîtra d'ailleurs le gouvernement d'Hô Chi Minh qu'en 1950.

Les 200 000 Chinois du Kuomintang envahissent et pillent, mais ils se gardent bien de désarmer les Japonais qui sont toujours là et qui ont aidé Hô Chi Minh à proclamer l'indépendance.

Le 5 octobre, c'est au tour du général Leclerc de débarquer mais au Sud, en Cochinchine. Il prévoit d'arriver dans l'hiver au Tonkin et nous interroge : « Quelle sera l'attitude de l'armée japonaise quand j'arriverai à Haïphong ? »

A Hanoï, nous avons établi un réseau de renseignements qui fonctionne bien. Chaque matin, j'ai l'état des effectifs des Japonais. Je parviens même à prendre contact avec le maréchal Terauchi qui commande toutes les troupes japonaises au Nord du 16e parallèle. J'obtiens cette réponse : « Si les Français débarquent, nous ne bougerons pas, nous observerons une complète neutralité. » Je pars aussitôt pour Saïgon et je rencontre Leclerc. La réponse japonaise lève tout obstacle.

« Bien, dit-il. Voici le plan de débarquement que j'ai préparé. Vous allez rentrer à Hanoï et le donner à Jean Sainteny. »

Il me passe le document, je le flanque dans ma poche. Alors Leclerc prend feu, il m'engueule, il hurle : « Déchaussez-vous et mettez le plan dans vos godasses. »

Je repars avec des souliers qui me font un mal de chien, je marche comme sur des œufs, autrement dit, je suis beaucoup plus repérable. Ce qui est plutôt cocasse pour un émissaire secret. Aussi, dès que je suis dans l'avion, je me déchausse, je remets les papiers dans ma poche, j'arrive sans encombre et je donne le document à Sainteny.

Hanoï devient, en cet automne 1945, une babylone curieuse où se retrouvent soldats et

aventuriers de toutes les couleurs. Il y a les
Chinois, les Japonais, les Russes, nous. Il y a les
Anglais qui commencent à venir voir. Il y a l'armée de l'indépendance de l'Inde avec son
patron qui se nomme Chandra Boss. Il y a les
Américains qui se font les champions de la lutte
des peuples opprimés et veulent battre les Russes
sur ce terrain. Tentative stupide menée stupide-
ment. Le général américain Gallagher, qui vient
d'arriver à Hanoï, court toutes les fêtes et danse
des claquettes sur une estrade pour séduire les
Vietminh.

« Les Français sont détestés dans ce pays et ce
n'est que justice : ils se sont conduits de façon
ignoble. » Le général Gallagher nous répète ce
genre de fadaise et le répète aux Vietnamiens. A
croire que les Français, jamais, n'ont fait quoi
que ce fût et qu'ils étaient tous des tortionnaires.
La colonisation française ne doit pas être exami-
née avec des lunettes roses, elle a son lot — et
lourd — d'injustices et d'idioties, mais à l'actif du
bilan, n'y a-t-il donc rien ? N'y a-t-il pas le
moindre hôpital, la moindre école ? Évidemment, nous prenons connaissance au passage des
rapports que le général Gallagher expédie à
Washington. Un jour, nous découvrons cette
phrase : « Les Français détestent les Indochinois
au point de les appeler les N'haqués. » Le général ignore que ce mot signifie simplement « paysan » et n'est pas une insulte.

Nous avons découvert le plan : ils veulent évacuer tous les Français d'Indochine. Ils ont déjà un dessein asiatique et ils l'appliquent. Malheureusement pour eux, il est absurde. On ne bat pas les Russes sur leur terrain.

Cet automne 1945, je me lie à un colonel soviétique des services de renseignements, le colonel S. Je ne veux pas donner son nom car il est peut-être encore en vie et peut-être même en activité. Durant les années 60, je me suis heurté à lui, nez à nez, place de la Concorde à Paris. Je lui ai demandé : « Qu'est-ce que vous faites ici ?

— Du tourisme », m'a-t-il répondu.

Et nous avons poursuivi notre chemin, chacun de son côté.

Un jour de 1945, le colonel S. me brosse le tableau de la stratégie soviétique. Quand j'écris ces lignes, plus de trente ans après, je me rends compte que cette conversation jette une lumière brutale sur toutes les actions de Moscou jusqu'à aujourd'hui, Cuba, l'Égypte, l'Angola, l'implantation en Irak et en Syrie, la politique à l'égard du tiers-monde, la rivalité sans merci en Asie. Les personnages sont déjà en place, les querelles sont en germe.

CHAPITRE 7

Une nuit d'automne à Hanoï

C'est un soir, chez moi, dans une villa qui a été construite avant la guerre par des Français. Nous sommes seuls, le colonel S. et moi.

« Notre politique, foncièrement, est simple, dit-il. Il nous faut démolir les vieilles puissances occidentales et les États-Unis qui sont, bien sûr, le principal barrage devant nous. Et nous avons deux façons de procéder. La première, c'est d'entretenir des partis communistes qui agissent de l'intérieur. La seconde, c'est de couper les puissances occidentales de leur grenier de matières premières, c'est-à-dire de les couper des empires coloniaux. Pour y parvenir nous avons un plan en trois phases. »

Quand on vit dans les conditions qui sont les nôtres à Hanoï, dans ce climat qui est tout de même un climat d'hostilités, une intimité se crée entre les hommes. Surtout ceux qui partagent la même vie, les mêmes soucis, les mêmes dangers. D'ailleurs si ce colonel des services secrets soviétiques me parle spontanément, c'est peut-être parce que, moi aussi, je lui parle avec franchise. Il poursuit.

« Première phase, recréer ou créer l'idée nationale qui incitera les peuples à entrevoir leur indépendance. Donc, il faut favoriser des recherches archéologiques qui prouveront que, 2 ou 3 000 ans avant Jésus-Christ, le pays était déjà habité, il faut inventer ou reconstituer une histoire. L'idée d'indépendance se propagera très vite. Elle sera embrassée par tous les intellectuels, les étudiants... On trouve aisément des Indochinois qui ont fait leurs études à la Sorbonne. On trouve tout aussi bien des jeunes des colonies anglaises qui ont fait leurs classes dans les universités de Grande-Bretagne, même si ce n'est pas Oxford. Tous ces intellectuels ont soif de participer au gouvernement de leur pays. »

Le colonel S. sourit. Son nez, qu'il a imposant, se plisse. L'homme, dont la taille se situe dans le juste milieu, a une tête magnifique avec des pommettes et des yeux bridés. L'état-major des services de renseignements soviétiques a eu l'intelligence de choisir un officier qui a du sang asiatique. Il explique son sourire :

« Cette première phase se développe sans effort, comme un feu de brousse. Deuxième phase : l'idée nationale provoque à coup sûr un conflit avec la puissance coloniale. Là encore

nous pouvons aider les indépendantistes. Nous
volerons même à leur secours. De toute façon,
vous ne pourrez pas vous tirer des guerres d'indépendance, elles éclateront partout, vous serez
loin de vos bases, vous ne pourrez pas tuer tout
le monde. Conclusion : vous serez obligés de
composer et nous, nous ferons progresser nos
idées. »

Le colonel S. boit une gorgée de jus de fruit.
Cette fois-ci, c'est moi qui l'interroge : « Et la
troisième phase ?

— Une fois l'indépendance acquise, un jeune
pays est isolé, fragile. S'il veut se doter de
moyens, il doit entrer dans un système. Il faut
que ces pays se groupent. Autour de quoi ? Sans
être prophète, on peut le deviner. Autour d'une
idée religieuse, ou bien autour d'une idée politique. Ici en Asie, je ne crois pas que la religion
puisse être ce ciment. Le sentiment religieux est
trop diffus, il y a l'Islam, le Bouddhisme...
Comment rallier tout le monde autour d'un
choix religieux unique ? Reste l'idée politique,
c'est le communisme. »

Le colonel S. a achevé sa démonstration. Il ne
dit pas : le marxisme. Il dit : le communisme.
Pour lui, le succès va de soi : « Beaucoup de ces
pays ont déjà un mode de vie assez communautaire. Le communisme ne leur est pas étranger.
Tout naturellement la dynamique communiste
les conduira à se grouper sous l'égide d'une

grande puissance asiatique. Et cette puissance asiatique, c'est l'Union soviétique. »

Nous voilà au cœur du problème. La pomme de discorde qui oppose Chine et Russie trente ans après cette soirée d'automne 1945 à Hanoï est ici : l'U.R.S.S. prétend être une puissance de l'Asie. La Chine lui refuse ce droit et l'exclut par son slogan : l'Asie aux Asiatiques. Nous le verrons tout à l'heure.

Le lendemain, je rends visite aux Américains. Dans le renseignement, il faut toujours recouper sa glane. Je leur dis : « Voici ce que pensent les Russes, voici en tout cas une de leurs thèses. »

Mais les Américains jouent les matamores : « On va battre les Russes sur ce terrain-là, en devenant nous-mêmes les champions de l'indépendance des peuples colonisés. »

Ni les Américains ni les Russes ne tiennent compte à ce moment-là de la Chine. Mao Tsé-toung est encore loin, en Chine du Nord. Il s'entend le 10 octobre avec Tchang Kaï-chek pour unifier le pays mais c'est un accord sans lendemain. Les hostilités reprennent et ne s'achèveront qu'en 1949 avec la prise de Pékin et la proclamation de la République du Peuple le 1er octobre. Les trois personnages du drame asiatique sont donc déjà en place. L'Américain et le Russe s'opposent. Le Chinois arrive, détruit l'équilibre. La confrontation désormais est entre lui et le Russe. L'Américain passe au second plan et tente de manœuvrer.

Mais le général Leclerc arrive le 18 mars 1946 à Hanoï. Il se présente au balcon de l'hôtel de ville et dit : « Strasbourg-Hanoï, la libération est achevée. »

Oui, c'est achevé pour nous. On en a assez bavé. La république reconnaissante nous donne un avion spécial pour rentrer en France. Je ne sais pas que, dix-huit ans plus tard, le général de Gaulle me fera reprendre le chemin de l'Asie.

CHAPITRE 8

Où le général de Gaulle envoie l'auteur en mission

Charles de Gaulle était fasciné par l'Asie. Le général a toujours réfléchi aux grands équilibres dans le monde et l'équilibre dans le monde passe par l'Asie et les masses asiatiques. Un milliard et demi d'hommes.

Le 31 janvier 1964, il est le premier Occidental à reconnaître la Chine et il l'annonce au cours d'une de ces grandes messes du gaullisme que sont les conférences de presse. Il débute par un alexandrin :

« La Chine, un grand peuple, le plus nombreux de la terre. » Et il brosse, en trois périodes, un tableau entier de ce pays-continent : « Une race, où la capacité patiente, laborieuse, industrieuse des individus a, depuis les millénaires, péniblement compensé son défaut collectif de méthode et de cohésion, et construit une très particulière et très profonde civilisation. »

Sous la déclamation du général de Gaulle, les

phrases se déroulent comme une musique. Dans la salle des fêtes de l'Élysée, mon ami le journaliste Claude Terrien, que des millions de Français écoutaient chaque matin, est comme hypnotisé. Il bat la mesure sur les mots de de Gaulle : « Un très vaste pays, géographiquement compact quoique sans unité, étendu depuis l'Asie mineure et les marches de l'Europe jusqu'à la rive immense du Pacifique, et depuis les glaces sibériennes jusqu'aux régions tropicales des Indes et du Tonkin. »

Toujours captivé, Claude Terrien continue de battre la mesure : « Un État plus ancien que l'Histoire, constamment résolu à l'indépendance, s'efforçant sans relâche à la centralisation, replié d'instinct sur lui-même et dédaigneux des étrangers, mais conscient et orgueilleux d'une immuable pérennité. » De Gaulle achève comme il a débuté, par un alexandrin : « Orgueilleux d'une immuable pérennité. »

Je suis, en ce début de 1964, ministre des Rapatriés. Ce problème, pour moi, est clos car les cas qui restent à examiner relèvent des préfets. Quant à l'indemnisation, question énorme qui ne trouvera pas de bonne réponse, elle dépend du ministre des Finances et non pas de moi. Un mercredi d'été, j'annonce tout à trac au Conseil des ministres : « J'estime qu'il faut fermer le ministère des Rapatriés. »

Haut-le-corps de tous les ministres. J'ai l'en-

semble du gouvernement contre moi : « C'est
un risque politique considérable. »

Le général de Gaulle écoute, puis tranche à sa
façon : « Un ministre est responsable de son
ministère. S'il estime qu'il faut fermer, il ferme-
ra. »

Il se tourne vers moi : « Quand voulez-vous
fermer ? » Je réponds un peu au hasard : « Mercredi en huit. » Le 23 juillet, je ne suis plus
ministre. Quelques jours auparavant, j'ai été
convoqué à l'Élysée.

« Missoffe, me dit le général, de quel ministère vais-je bien vous charger ?

— D'aucun, mon général. Si je reste au
gouvernement, on va crier à l'opération politique. On va dire : il s'est débrouillé pour fermer
son ministère et en obtenir un autre. Non. Je
veux montrer que le problème des rapatriés est
terminé. Je veux pouvoir dire : c'est fini, on s'en
va tous, ministre en tête. »

Le général, un peu interloqué, laisse tomber :
« C'est la première fois qu'on me refuse d'entrer
dans mon gouvernement.

— C'est un précédent. Vous pourrez ainsi
l'utiliser pour d'autres. »

Le général s'énerve, hausse le ton : « Vous ne
savez pas ce que vous voulez.

— Je sais très bien ce que je veux : vos
Mémoires dédicacés. »

C'en est trop. Cette fois, il se fâche et me jette

à la porte : « Sortez. » Quelques jours plus tard, je reçois ses Mémoires dédicacés et une nouvelle convocation.

« Missoffe, attaque le général dès que j'entre dans son bureau, je vous propose d'aller au Conseil d'État. »

Cette fois-ci, c'est moi qui reste interdit : « Mais, mon général, le Conseil d'État, c'est la dépression nerveuse à bref délai, la neurasthénie... »

De Gaulle bougonne. Et il me fiche encore à la porte.

Troisième convocation. C'est un après-midi. Le général reçoit très souvent l'après-midi. Derechef, il va droit au but :

« Écoutez, Missoffe, je compte vous envoyer comme ambassadeur au Japon. Est-ce que vous acceptez ?

— Il faut que d'abord j'en parle à ma femme. »

Le général s'épanouit et s'étonne, goguenard :

« Parce qu'il faut que vous ayez l'autorisation de Mme Missoffe !

— Je ne peux pas vous dire ça comme ça, mon général. Je ne peux tout de même pas rentrer chez moi et annoncer à ma femme : « On part en banlieue. — Où ça ? — Au Japon. » Avec sept enfants. Quand même, j'ai sept enfants. »

Toujours narquois, le général suggère :

« Eh bien, demandez à Mme Missoffe et donnez-moi la réponse demain.

— Je ne peux pas vous la donner demain parce qu'elle n'est pas à Paris.

— Où est-elle ?

— Elle est avec un de mes frères. Il fait une tournée dans les oasis du Sud-algérien et il l'a invitée à l'accompagner. Je ne peux pas la joindre avant dix jours. »

Le général, enfin, baisse les bras : « Revenez donc dans dix jours. »

Lorsque ma femme rentre à Paris, je vais la chercher au terrain et dès qu'elle est descendue d'avion, je lui glisse :

« Ça te ferait plaisir d'aller à Tokyo ?

— Tu es cinglé ?

— Je ne suis pas cinglé, c'est le général qui me le propose.

— Eh bien, si tu veux. »

CHAPITRE 9

Pourquoi le général de Gaulle ne se rendit pas à Tokyo

Le lendemain, je me rends à l'Élysée. « Ah ! Missoffe », m'apostrophe le général. Au Conseil des ministres, de Gaulle donnait toujours le titre mais, seul à seul, j'avais droit au nom, tout cru.

« Missoffe, j'irai au Japon pendant que vous y serez et c'est pour cette raison que je vous y envoie. Vous me direz quand je dois y aller et si vous pensez que je dois y aller. »

Concrètement, physiquement, le général de Gaulle ne connaît pas l'Asie. Il veut s'adresser à elle, il a besoin d'une tribune. C'est Pékin ou c'est Tokyo. Il y a pour lui la rancune tenace de Yalta où le monde a été partagé en deux sans son accord. Et puis il y a eu Potsdam où l'Indochine a été coupée en deux : le Nord chinois, le Sud anglais et la France exclue. Quelle revanche de s'adresser à un milliard et demi d'hommes dans un continent où les peuples coloniaux ont été les premiers à se rebeller ! L'Indochine, d'abord. L'Indonésie, la tache d'huile. Et puis, c'est la lice

où s'affrontent le communisme en expansion et
le reste du monde. Phénomène majeur dans l'esprit de de Gaulle.

Je vais donc à Tokyo. Je m'attarderai plus loin
sur ce séjour au Japon, mais je veux donner tout de
suite l'épilogue du voyage du général. Au bout
de huit mois, je viens rendre compte à Paris.

Contrairement à ce que les gens racontent, de
Gaulle écoutait beaucoup. Il voulait savoir ce
que je pensais de l'Asie. C'est une époque où le
Japon est très mal connu des Français et même
du général. Il n'y a pratiquement pas d'échanges
commerciaux. « Mon général, je vous déconseil-
le d'aller au Japon. »

De Gaulle, derrière son bureau, ne bronche
pas. Je poursuis :

« A votre arrivée, incontestablement, ce sera
phénoménal, vous aurez six millions de personnes dans la rue. »

Le général redresse la tête. Je répète :

« Vous aurez six millions de personnes mais
je vous préviens, très rapidement, le lendemain
peut-être, une manifestation de masse déferlera
à Tokyo contre les États-Unis. Vous apparaissez
comme le champion de l'indépendance et il y
aura cinq millions de personnes qui hurleront :
U.S. Go home. Nous ne sommes pas forcés de
déclencher un tel mouvement. »

Le général de Gaulle balaie l'air d'une main
débonnaire : « Ça n'a aucune importance. »

Je crois même que je l'ai tenté. Il me faut vite l'arrêter : « Mon général, ce que vous risquez, c'est que les mêmes manifestants, le surlendemain, retournent leurs pancartes et beuglent : arrêt des expériences nucléaires de la France dans le Pacifique. Car tous les Japonais sont traumatisés par les problèmes atomiques. Là, nous serons face à un problème. Je crois qu'il vaut mieux ne pas prendre ce risque. »

Finalement, il m'a entendu. Douze ans après, je suis persuadé que la tribune qu'il cherchait était à Pékin. Pour un itinéraire en Asie, le point de départ est là, dans la capitale de l'Empire du Milieu, première puissance du continent. De Gaulle n'ira ni à Pékin, ni à Tokyo. Il ira à Phnom-Penh. Et ce sera le moment du défoulement attendu depuis Yalta. Il ira et dira : « Peuples jaunes, c'est à vous de régler votre destin sans l'intervention des puissances étrangères. »

C'est l'idée du « *U.S. Go home* ». Aujourd'hui, quand je retourne en Asie, on me cite très souvent ce discours de Phnom-Penh et ce qu'il avait de prophétique. L'apothéose eût été d'aller en Chine et d'y rencontrer Mao, l'un des cinq géants de notre histoire contemporaine.

De Gaulle, dont la culture historique était minutieuse et exhaustive, connaissait en tout point le destin de Mao Tsé-toung. Or Mao, c'est l'accession de la Chine au rôle de grande puissance et la restauration de l'État. L'État et la

Nation, ce sont les grands thèmes de de Gaulle.
Mais chez Mao ils étaient associés à une brutalité
évidente. Peu de commentateurs ont signalé, à
sa mort, qu'il avait des millions d'hommes sur la
conscience. « L'État est un monstre froid. »

De Gaulle, néanmoins, ne pouvait soupçon-
ner ce qu'était l'approche d'un problème par un
Asiatique. Elle est fondamentalement différente
de l'approche du même problème par un Occidental.

En Asie, il n'y a pas de logique au sens que
nous donnons à ce mot. Le système cartésien ?
Connais pas. L'ambassadeur de France en Chine
n'a pas le droit de s'éloigner de Pékin de plus de
soixante kilomètres. La tentation, pour le
gouvernement français, est d'appliquer la règle
réciproque à l'ambassadeur de Chine à Paris. Et
de lui dire : « Vous êtes libre de circuler dans un
rayon de soixante kilomètres de notre capitale.
Si vous voulez aller au-delà, demandez-nous une
autorisation. »

L'ambassadeur de Chine ne l'entend pas
ainsi. Il y voit une brimade. « Pas du tout, lui
répond-on, puisque c'est la consigne que vous,
Chinois, avez vous-mêmes édictée à Pékin.

— Mais à Pékin, rétorquent les Chinois, tous
les ambassadeurs sont astreints à rester dans un
rayon de soixante kilomètres. A Paris, au
contraire, tous les ambassadeurs se promènent
comme ils veulent dans toute la France.

— Très bien, expliquent les Français, autorisez notre ambassàdeur à Pékin à voyager dans toute la Chine et nous prendrons la même mesure pour le vôtre.

— C'est un acte d'inimitié, concluent les Chinois. Au fond, vous ne voulez pas qu'il y ait un ambassadeur de notre pays chez vous. »

Casse-tête dont on ne sort pas. Ils sont dans une logique et nous dans une autre. Cette antinomie existe avec tous les Asiatiques. Les relations commerciales sont de ce fait souvent difficiles. La grande erreur est d'essayer de juger. Au lieu de se borner à constater que nous sommes différents les uns des autres, et qu'après tout leurs structures valent sans doute les nôtres.

Et puis, il y a la courtoisie orientale. Vous demandez à un Chinois haut placé :

— Avez-vous lu le livre d'Alain Peyrefitte, *Quand la Chine s'éveillera...* ?

— Oui.

— Qu'en pensez-vous ?

— C'est un livre très gros. Hélas, je n'ai pu l'achever... »

C'est tout. Alain Peyrefitte affiche certaines sympathies dans la première partie de son livre mais devient critique dès qu'il examine le système lui-même. Un Chinois ne dira pas tout net : Peyrefitte s'est trompé dans son analyse. Mais c'est exactement le sens de sa réponse.

CHAPITRE 10

Un marxiste à la végétaline

En septembre 1964, lorsque j'arrive en Asie, la Chine vit une sorte d'apogée. En janvier, Chou En-laï a traversé l'Afrique en triomphateur. « Vous entrez dans la zone des tempêtes », prévient-il. Le tiers-monde apparaît comme l'enjeu de l'hégémonie planétaire entre les États-Unis, l'U.R.S.S. et la Chine.

Chou En-laï, sourire d'automne et esprit de glace, restera dans l'histoire de la Chine, comme un génie de la synthèse. En Afrique, il est en même temps l'homme libéral, le révolutionnaire nationaliste, et il montre, sans fard, un visage carrément afro-asiatique.

A Moscou, règne un personnage qui eût plu au curé de Meudon. Un homme qui roule plus qu'il ne marche, gras, sanguin, suant et tonitruant, qui mène le jeu politique à coups de gueule comme d'autres à coups de batailles : Nikita Khrouchtchev. Devant l'insolence chinoise, Khrouchtchev réagit à sa façon qui est rude :

il faut démolir ce front afro-asiatique. L'asiatisme, ça concerne la Russie. Car la Russie est une puissance asiatique.

Dieu ! qu'il est loin le voyage de Mao Tsétoung à Moscou ! Décembre 1949. Mao a bien tenté en 1945-1946 de faire un pas vers les États-Unis. Mais Washington, fidèle à l'allié anticommuniste Tchang Kaï-chek, a feint de ne rien voir. Et Mao va rencontrer Staline, qui se gausse en privé, avec Khrouchtchev, de ce Chinois arrivé au pouvoir grâce aux masses paysannes : « C'est un marxiste à la végétaline [1]. »

1. L'engagement des paysans dans la révolution communiste a été le sujet du premier différend russo-chinois. Au début des années 20, le P.C. chinois avait travaillé les ouvriers des villes, selon le schéma classique. En 1927, à Chang-Hai et à Canton, le général Tchang Kaï-chek, chef du parti nationaliste, le Kuomintang, écrasa les militants communistes avec lesquels il venait de filer une lune de miel financée par Moscou. La sauvagerie de Tchang fut inouïe : les communistes étaient jetés dans le foyer des locomotives.

Cet échec amena le P.C. chinois à se développer aussi à la campagne et pratiquement deux fractions se formèrent. Mao Tsé-toung se révéla chez les paysans et établit une base révolutionnaire aux confins du Kiangsi et du Hounan. Mais Mao reçut un blâme du Komintern en 1929 pour « koulakophilie » : il montrait trop d'indulgence à l'égard de la paysannerie cossue.

Les échecs de l'aile citadine à Tchangcha et à Hankéou en 1930 donnèrent raison à Mao. Le Komintern avait d'ailleurs perdu contact avec le P.C. chinois à tel point qu'il annonça en 1930 la mort de Mao.

L'invasion de la Chine par le Japon et les difficultés innombrables dans les villes anéantirent le pouvoir du Comité central de Chang-Hai alors que, en s'enfonçant à l'in-

Mao, face au Géorgien, dévoile ses trois forces : le Parti, l'Armée et le nationalisme chinois.

« Le rôle dirigeant du Kremlin doit être reconnu », dicte Staline. Mais il n'ose demander, comme à Tito, un contrôle du « parti » chinois. C'est que l'ennemi n° 1 de la Russie en Asie, en 1949, est le Japon. La Chine apparaît comme une alliée naturelle et nécessaire.

Mais le vieux Joseph Staline se méfie : en 1945, la Chine a recouvré tous ses territoires sauf ceux annexés par la Russie [2]. Le contentieux territorial est phénoménal. Et il a raison de se méfier, Staline. Car, à Pékin, Mao fait secrètement préparer une carte de la Chine. En 1954,

---

térieur du pays, Mao trouvait un terrain favorable. Prônant l'unité contre l'envahisseur japonais, il renforçait son crédit. Depuis le début de la Longue marche, en janvier 1935, il était définitivement à la tête du parti.

2. Quatre traités avec la Chine ont réglé dans le passé les rapports frontaliers russo-chinois. Nerchinsk, 1969. Kjachta, 1727. Aigoun, 1858. Pékin, 1860. Aux termes du traité d'Aigoun, les Russes occupent, en Sibérie, entre le fleuve Oussouri et la côte du Pacifique, 2 millions et demi de kilomètres carrés.

En 1860, les Russes établissent un poste militaire dans un hameau et le baptisent Vladivostok qui signifie « le dominateur de l'Orient ». En 1881, le traité d'Illi donne aux Russes une partie du Kazakhstan.

En 1906, les Russes prennent Sakhaline.

Enfin, l'U.R.S.S. place sous son protectorat la Mongolie-Extérieure, c'est-à-dire 500 000 km².

Voilà donc un contentieux territorial qui explique beaucoup de choses dans les rapports russo-chinois.

après la mort de Staline, il publie cette carte : on y voit les territoires arrachés par les impérialistes de 1848 à 1919. Et en 1963, le *Quotidien du peuple* posera brutalement la question de ces territoires.

Après la visite de Mao, c'est la guerre de Corée. Staline avait dit à Mao : « La sécurité de la Chine dépend de nous. » Et il lui avait fait signer un traité d'assistance mutuelle. Fragile édifice. En Corée, en 1950, Mao Tsé-toung expédie son armée. Les Chinois déferlent. Du jour au lendemain, Mao apparaît comme le Protecteur des puissances asiatiques et il met un terme à la prédominance soviétique.

C'est là qu'est posée la question de fond qui sous-tend tout le conflit ; « L'U.R.S.S. est-elle une puissance asiatique ?

— Non ! disent les Chinois.

— Oui, répondent les Russes. Notre frontière la plus longue borde la Chine. Donc notre frontière est en Asie. Donc nous sommes un pays asiatique. »

CHAPITRE 11

Où le lecteur apprend les démêlés de Khrouchtchev avec Mao

Staline meurt. Les Russes augmentent l'aide économique à la Chine, particulièrement chiche auparavant. En 1954, ils reconnaissent le poids de la Chine et lui accordent le titre d'interlocuteur à part entière. En avril 1955, c'est la conférence du tiers-monde à Bandoung. Chou En-laï y va : « Nous voulons aider tous les pays en voie de développement. » Il s'adresse aux États communistes et aux États anticommunistes. Il place la Chine à la tête d'une autre école que celle des Russes. Gamal Abdel Nasser est stupéfait : il propose une motion contre le communisme et Chou En-laï le soutient. Pour lui, le communisme visé par Nasser est seulement celui de Moscou.

La première grande brisure sera atteinte en février 1956, à Moscou. Nikita Khrouchtchev déboulonne Staline au cours du XXe congrès. Mao accuse l'équipe du Kremlin de révisionnisme [1]. Malgré leurs différends, il a toujours admiré Staline. Il va maintenant pousser les éléments durs à l'intérieur des P.C. du monde, les gauchistes et les staliniens, pêle-mêle. « C'est nous maintenant qui allons faire la guerre à l'impérialisme. » Au combat de classes, il substitue un combat de peuples.

On le sait maintenant, Khrouchtchev craignait la Chine, il voulait freiner son accession au rang de grande puissance. Toutefois, il ne voulait pas la rupture. Mais Khrouchtchev a opté pour la détente, il cherche carrément une rencontre avec Dwight Eisenhower, président des États-Unis. Mao Tsé-toung n'est absolument

1. Néanmoins, en 1956, l'esprit de discipline aidant, Mao se montre souple tout d'abord, et participe timidement à la déstalinisation puisqu'il reproche au dictateur défunt son « chauvinisme » et sa façon de traiter les autres partis communistes.

Esprit de discipline encore : Mao exprime des réserves lorsque Khrouchtchev veut se rapprocher de la Yougoslavie et lui écrit : « Tito est allé déjà bien loin dans ses rapports avec l'impérialisme. » Mais il s'incline et normalise les relations entre Pékin et Belgrade.

Jusqu'en novembre 1957, Mao crut que la discussion avec Khrouchtchev était possible et il se rendit à la conférence des Partis communistes et ouvriers. « Le vent d'Est prévaut sur le vent d'Ouest », dit-il pour fêter le lancement du deuxième spoutnik et de la première fusée intercontinentale.

Ainsi, pendant le soulèvement de Budapest, en octobre 1956, Mao n'appuya le gouvernement d'Imre Nagy que jusqu'au jour où il permit le pluralisme des partis politiques et retira son pays du Pacte de Varsovie. Mao, alors, approuva l'intervention militaire des Soviets.

pas consulté, il l'apprend. Il le reproche à Khrouchtchev, il l'accuse de manquer de fermeté dans les pays arabes, au Liban et en Irak. Il déclenche la crise de Formose.

Il attaque sur tous les fronts. On est en 1958. Mao lance l'expérience du « Grand Bond en avant ». Cette opération apparaît comme utopique mais elle est fondée sur une nécessité vitale : il faut dégager la Chine de l'aide exclusive de la Russie.

C'est Khrouchtchev, cette fois, qui n'a pas été consulté. Il tourne en ridicule l'expérience de la Chine, se répand en cancans. Mao doit être discrédité dans les pays socialistes. En 1959, au XXIe congrès, M. K. tend tout de même une perche au président Mao. Celui-ci la refuse. Et pour garder l'initiative, il fouaille Khrouchtchev en lui demandant benoîtement le plan et le mode d'emploi de la bombe atomique. Du Kremlin arrive un refus sec comme une guillotine.

Alors Mao revendique le Tibet. L'Inde prend peur et Khrouchtchev vole à son secours. Dans le Sin-kiang, des incidents frontaliers, les premiers, opposent Chinois et Russes. A Pékin, Mao limoge le chef d'état-major chinois : Huang Ko-cheng. Il le juge trop proche de Khrouchtchev et le remplace par Lin-Piao. Nous sommes en décembre 1959. Trois mois plus tôt, Khrouchtchev, rentrant des États-Unis, est passé par

Pékin. Il a vanté les qualités d'Eisenhower. Mao commente : « C'est une provocation. » Il ne reverra plus le Russe. Il n'y a pas encore divorce, il y a déjà séparation de corps.

Mao profite du 90e anniversaire de Lénine (en avril 1960) pour démontrer que Khrouchtchev est un traître à l'idéologie, au marxisme, au léninisme, à tout le tralala. En juillet, à Bucarest, il s'oppose derechef brutalement aux Soviets. Le 16 juillet, Khrouchtchev, sans préavis, d'un seul coup, retire tous les ingénieurs et techniciens russes qui se trouvent en Chine : 1 400. Les 300 grands projets industriels en cours sont stoppés. Pour Khrouchtchev, c'est sûr : il a remis la Chine au pas. Il se trompe.

Mao envoie même M. Teng Hsiao-ping à Moscou, à la conférence des partis communistes. M. Teng conteste Khrouchtchev sur tout, la coexistence pacifique, le passage au socialisme, les rapports entre États. Et il rejette le rôle d'avant-garde du P.C. soviétique. Abasourdi, Khrouchtchev est tout le temps sur la défensive. Il se venge en allant affronter Chou En-laï au XXIIe congrès du P.C. chinois.

Hô Chi Minh, qui souffre de cet antagonisme, tente de s'interposer. Échec. Khrouchtchev, qui avait mis des fusées à Cuba, perd la face en juillet 1962 ; il est obligé de les démonter. Pékin se vautre avec joie dans la mare où est tombé Khrouchtchev. Celui-ci, las de ce harcèlement, invite à Moscou Mao. Qui refuse avec hauteur [1].

Des émissaires chinois sont néanmoins à Moscou le 5 juillet 1963. Mais la conférence avorte le 20. Alors coup de tonnerre : le 5 août, juste deux semaines plus tard, Khrouchtchev publie un accord avec les Américains et les Anglais sur l'arrêt des expériences atomiques dans l'atmosphère.

Pour la Chine, le verdict est net : elle n'est plus protégée par le bouclier nucléaire soviétique. Le conflit n'est plus seulement idéologique. Mao Tsé-toung se voit menacé par une collusion russo-américaine. La guerre froide commence entre Pékin et Moscou. Les Chinois critiquent la vie en Russie, la corruption qui y règne. Ils réactivent le litige territorial. Ils s'adressent au tiers-monde.

La rivalité est extrême quand j'arrive en Asie.

---

1. Mao Tsé-toung brocardait Khrouchtchev pour son culte de l'armée nucléaire qui le ballottait entre l'aventurisme, né d'un excès de confiance à l'égard de cette arme, et le capitulationnisme, né d'un excès de crainte. La crise de Cuba va illustrer la thèse chinoise. La foi en la toute-puissance nucléaire avait conduit M. K. à installer des fusées à Cuba — épisode aventuriste. La crainte d'un conflit nucléaire avec les États-Unis le fait reculer — épisode capitulationniste.

Mao Tsé-toung, à l'inverse, faisait remarquer que, dans les guerres du tiers-monde contre les impérialistes, les fronts étaient si enchevêtrés que la bombe atomique était hors jeu. Conclusion : on peut susciter ou nourrir une guerre de libération nationale en se tenant hors du risque nucléaire.

Mais le 15 octobre, le bouillant Nikita
Khrouchtchev est renversé à Moscou. La Chine
pavoise. Le lendemain, la première bombe
atomique chinoise explose.

CHAPITRE 12

Comment Georges Pompidou renvoie l'auteur en Asie

De Tokyo, où je m'installe, j'assiste au couronnement du troisième super-grand : 800 millions d'hommes, 400 à 500 divisions, la bombe atomique. Et je note l'inquiétude de M. Léonide Brejnev qui succède à Nikita Khrouchtchev.

De son côté, Mao Tsé-toung, muni de sa bombe, et débarrassé de Khrouchtchev, s'interroge : peut-on renouer avec le Kremlin ? Il expédie Chou En-laï à Moscou. Résultat négatif. Mais Russes et Chinois sont bientôt placés dans une situation délicate : le président américain Lyndon Johnson fait bombarder le Nord-Viêtnam.

« Finissons-en, propose M. Brejnev à Mao Tsé-toung. Trouvons une solution qui permette aux États-Unis de se retirer sans déshonneur. » Mao refuse et décide de rompre. Il va plus loin. « Si les Américains débarquent au Nord-Viêtnam, la Chine enverra ses soldats. Comme en

Corée. Si les Américains bombardent la Chine, alors ce sera l'ouverture d'une grande guerre. » L'homme qui fait tenir ce message à Washington est M. Teng Hsiao-ping.

Mao Tsé-toung et les Chinois se croient sincèrement pris dans un étau : au Nord, les Russes ; au Sud, les Américains. Il faut engager la lutte sur les deux fronts. Il faut remodeler l'âme chinoise. Mao lance la révolution culturelle.

La hantise de l'encerclement n'est pas la seule cause de la révolution culturelle, mais une cause importante. Mao destitue le président de la République, Liou Chao-tchi grâce à l'appui de l'Armée, c'est-à-dire grâce à Lin Piao. Puis Mao destitue Lin Piao. Je suis persuadé qu'il n'y avait pas de collusion entre Lin Piao et les Russes comme on le raconte quelquefois. Lin Piao est destitué parce qu'il est devenu un personnage qui peut presque se mesurer à Mao. Désormais, les Chinois vont pratiquer le culte de Mao.

En janvier 1966, je quitte l'Asie après un séjour exaltant au Japon que je relate plus loin. Et puis à l'automne de 1973, le président Georges Pompidou m'appelle à l'Élysée.

Georges Pompidou n'occupe pas le bureau du général de Gaulle. De même d'ailleurs que plus tard M. Valéry Giscard d'Estaing n'occupera pas le bureau de Georges Pompidou. L'atmosphère n'est plus ce qu'elle était du temps de de Gaulle. Quand quelqu'un a une personnalité de cette taille-là, on ne peut remplacer sa présence. Ce sera toujours autre chose.

Donc, Georges Pompidou me reçoit : « Nous n'avons plus rien en Asie, me dit-il. Pourquoi ne reprendrions-nous pas pied sur le continent ? Au Viêt-nam par exemple ? »

La France, c'est vrai, est hors jeu. Au Nord-Viêt-nam, rien. Les charbonnages de Hong-haï ? C'est terminé. Il y a en tout dix-neuf Français à Hanoï : le personnel de l'ambassade, le journaliste de l'Agence France Presse, le correspondant de *L'Humanité* et sa femme. Dans le Sud, la présence est plus substantielle : 11 000 ressortissants français : 3 ou 4 000 venus de la métropole. Le reste est eurasien. C'est très faible. En tout cas, nous n'avons aucune influence sur le plan politique. Il y a aussi une petite présence au Laos et au Cambodge. Mais, il y a des intérêts français, même s'il n'y a pas de politique française. Et voici donc Georges Pompidou qui me dit : « Le moment semble venu de... »

MM. Henry Kissinger et Le Duc Tho sont à Paris, ou à Gif-sur-Yvette, ou à Choisy-le-Roi. Et ils préparent ce qui sera pour les historiens les Accords de Paris. Georges Pompidou s'est dit : « Comment pouvons-nous faire ? Le plus naturel est d'étudier une aide économique. » Il faut donc, d'abord, savoir. On ne sait pas grand-chose.

« Vous avez été amené, par le hasard de la guerre, à circuler en Indochine, vous connaissez les Vietnamiens, me dit le président de la République. J'ai pensé que vous pourriez y retourner en mission et explorer les conditions dans lesquelles la France peut apporter une aide économique au Viêt-nam. »

Le Viêt-nam, c'est Hanoï et c'est Saïgon. Je vais donc à Hanoï et à Saïgon. Quand j'annonce à M. Pham Van Dong, « maintenant il me faut partir pour Saïgon », il me répond : « Je ne vous comprends pas, vous jouez le mauvais cheval. » Et quand je dis à M. Nguyen Van Thieu : « Demain, je me rends à Hanoï », il s'exclame : « C'est incroyable que vous puissiez faire confiance aux communistes ! »

La France, finalement, accorde une aide économique en coupant très exactement le total en deux pour étouffer les jalousies. Mais l'application a balayé nos précautions. Très vite, dans le Nord, les crédits sont réalisés. Dans le Sud, la pagaille est si grande qu'on est dans l'impossibilité même d'affecter l'aide. Je ne dis pas : de la dépenser. Je dis : de l'affecter.

Mes missions ne se bornent pas au Viêt-nam mais à tout l'Extrême-Orient. Et à chaque pas, je me heurte à la guerre sourde, implacable des Russes et des Chinois.

CHAPITRE 13

Comment on voit les choses à la Cité interdite

C'est la fin de l'hiver à Pékin. Mars 1976. J'arrive au ministère des Affaires étrangères où m'attend le ministre, M. Tchiao Kuan-hua.

J'ai demandé à l'ambassadeur de France et au ministre conseiller de m'accompagner. Les personnalités de Pékin parlent toujours en chinois et leurs interprètes sont remarquables. Je retrouve ce jour-là « Fleur de Printemps » dont j'oublie toujours le nom en chinois. Ça l'agace un peu que je l'appelle ainsi. Elle occupe un rang important au ministère des Affaires étrangères. Ses parents habitaient l'Europe et elle n'a appris sa langue maternelle qu'à l'adolescence. Enfant, elle parlait le français et elle a fait ses études à Paris, au lycée Buffon. Durant les entretiens, elle est précieuse : souvent elle apporte une nuance qui a échappé à l'interprète officiel.

Nous entrons au ministère. Il y a une sorte de salon avec des fauteuils en fer à cheval. Pas de mobilier chinois. C'est impersonnel et triste comme une chambre d'hôtel. Le rituel est immuable : je m'assieds ; trente secondes après, le ministre arrive, je me relève pour le saluer. C'est exactement l'inverse de ce que nous faisons en Occident où l'hôte va accueillir son invité. On sert du thé. Photos. J'ouvre le feu :

« Je ne suis pas là pour parler de nos santés. Encore moins du temps. J'ai des questions à vous poser et vous aussi sans doute. Si une question gêne celui à qui elle est posée, ne perdons pas dix minutes pour ne rien dire, mais admettons que nous préférons ne pas répondre.

— C'est d'accord. »

Au cours de ces entretiens, j'ai le privilège de ne pas engager le gouvernement français puisque je ne suis pas ministre. Et je peux aller assez loin puisque je ne relève pas non plus du ministère des Affaires étrangères. Je pose les questions comme il me chante. Et mon interlocuteur le sait : c'est une conversation d'homme à homme. Il sait aussi que le contenu sera communiqué au gouvernement. Il peut livrer le fond de sa pensée. Officieusement. Les apparences sont sauves. Ce qui l'intéresse au premier chef, c'est la pénétration soviétique en Asie.

— Le rêve de Moscou, c'est d'abord de nous encercler, explique-t-il. Nous sommes nez à nez sur la frontière nord. A l'Est, dans le Pacifique, il y a une escadre russe qui est supérieure à la

7ᵉ flotte américaine, par exemple en sous-marins. Au Sud, on retrouve une influence soviétique en Inde, au Viêt-nam et même au Laos. Que la Birmanie se laisse séduire, et la boucle sera bouclée.

— Vous veillez tellement sur le Laos que vous y avez vous-mêmes des soldats.

— Pourquoi dites-vous cela ?

— Si je suis bien informé, vous devez avoir à peu près 30 000 hommes au Nord du Laos, qui font des routes. »

Si l'on songe aux descriptions de la Chine ancienne, on imagine très bien M. Tchiao en mandarin. Soixante ans, grand, la voix douce et les traits patinés, une culture précise. Il sourit : « Il y en a, mais un peu moins de 30 000. »

En fait, ils doivent être quelque 18 000. Le ministre chinois poursuit une démonstration, implacable comme un ordinateur.

« Nous assistons tous, et nous, Chinois, sommes les seuls à en prendre l'exacte mesure, à une gigantesque mise en place des Soviétiques au niveau du monde entier. La Russie veut briser la Chine. Parce que Moscou refuse que l'Asie se groupe autour de Pékin. Car les Russes savent que, quelle que soit leur supériorité technique, ils ne pourraient rien faire contre deux milliards d'hommes, les guerres coloniales l'ont amplement prouvé. L'armée américaine au Viêt-nam était, sans commune mesure, supé-

rieure à l'armée vietnamienne. Et cette armée
américaine si forte, si bien ravitaillée, a été vain-
cue parce que, comme l'a dit le président Mao
Tsé-toung, on ne lutte pas contre l'esprit. Les
Vietnamiens étaient sûrs de gagner à partir du
moment où ils adhéraient à une pensée commune. »

Ce n'est pas le compte rendu sténographique
de la conversation que je transcris ici mais sa
substance, aussi exactement que possible.
M. Tchiao s'inquiète particulièrement du
renforcement naval de l'U.R.S.S. et de l'implantation en Afrique :

« Les navires de guerre soviétiques sont partout, dans le Pacifique, dans la Méditerranée,
la mer du Nord, l'Atlantique, l'océan Indien.
La mer Noire et la Baltique sont des lacs russes.
L'U.R.S.S. s'est implantée en Afrique, en Angola. Ce n'est pas uniquement pour exploiter les
matières premières, c'est essentiellement pour
contrôler les voies maritimes et aériennes. Elle
entend exercer sur le globe entier un contrôle
militaire tel que le jour où arrivera le conflit
avec la Chine, elle soit réellement libérée de tout
autre souci militaire. Et elle aura les mains libres
pour faire face aux deux milliards d'Asiatiques. »

Toutes les dix minutes, des serveurs viennent
remplacer les théières. Ils ont posé sur la table
des cigarettes et des petits gâteaux à la purée de
soja — qui ne sont pas très bons — ou à la farine

de cacahuètes — qui, eux, sont délicieux. Derrière M. Tchiao et derrière moi, deux interprètes se
font écho. Il y a trois ou quatre autres personnes
qui prennent des notes et ne disent rien, peut-
être des fonctionnaires, je ne sais pas.

« Les Russes, reprend M. Tchiao, sont
amenés naturellement à vous contrôler, vous,
Européens, à cause de leur volonté de nous
détruire, nous, Chinois. Vous ne vous rendez pas
compte que vous allez droit au suicide, car vous
êtes les plus exposés. Moscou a placé en Europe
centrale, à 350 km de Strasbourg, 31 divisions
qui s'appuient sur 64 autres divisions ancrées à
la frontière soviétique. Les Russes savent parfaitement que vous, Européens, vous ne les atta-
querez pas. Vous ne leur faites courir aucun
danger. Sauf si un conflit s'ouvre en Extrême-
Orient. Alors là, ils peuvent éventuellement
avoir des difficultés avec leurs satellites d'Europe
de l'Est. »

M. Tchiao achève : « Nous n'engagerons
jamais un conflit. Nous sommes obligés de
prendre des précautions car les Russes veulent la
guerre. Ils peuvent venir en Asie, comme les
Européens, comme les Américains, pour y
commercer, pour y investir. Mais non pour s'y
imposer politiquement. L'Asie est aux Asiatiques. L'U.R.S.S. n'est pas une puissance d'Asie.
Il faut qu'elle le sache. »

Autrement dit : il faut qu'elle s'en aille.

CHAPITRE 14

Scènes de guerre sur l'Oussouri et partie de ping-pong à Pékin

Intox, dira-t-on. Je ne le crois pas. La crainte de la guerre se retrouve à tous les moments de l'histoire contemporaine de la Chine. On a vu les relations heurtées de Mao avec Staline puis sa bruyante rupture avec Khrouchtchev. On a assisté à la révolution culturelle dont l'explication fondamentale était le besoin de mobiliser les âmes pour la survie d'une Chine enfermée dans un étau : les Russes au Nord, les États-Unis au Sud.

J'écris « révolution culturelle » parce que la presse a imposé cette expression qui ne correspond pas au sens chinois. Cette révolution n'a de culturel que le désir de se retrouver dans la véritable pensée marxiste-léniniste. Ce retour aux sources, cet effort intellectuel pour rechercher les racines peut être dit culturel. Mais il s'agit bien plutôt d'une révolution de la civilisation.

En août 1967, l'extrême-gauche tente de

déborder Mao Tsé-toung, Chou En-laï et Lin Piao. Tous trois reprennent la situation en main. Les Russes exploitent la situation comme à l'époque du « grand bond en avant ». Ils soulignent les aspects grotesques, brocardent les projets utopiques, étalent les abus. Ils réussissent assez bien à isoler la Chine dans le camp communiste. Mais, en même temps, les Russes croient de plus en plus la Chine capable des pires excès. Ils se persuadent de renforcer leur autorité là où elle est menacée. Sait-on jamais.

Première victime : la Tchécoslovaquie en août 1968. Chou En-laï traite les Soviétiques de fascistes et, avec une violence jamais atteinte, entame une campagne contre l'U.R.S.S. Certains Chinois pensent qu'ils assistent au premier acte d'un processus de guerre.

Comme pour donner raison aux pessimistes, le 2 mars 1969, de très graves incidents éclatent sur l'Oussouri entre Chinois et Russes. On n'a jamais su le nombre exact de tués. Préoccupé par une situation qui s'envenime et risque de lui échapper, Moscou offre de reprendre les négociations sur le problème des frontières, interrompues depuis cinq ans. Pékin refuse et sans appel.

Un mois se passe. Mao Tsé-toung réunit en avril le IXe congrès du Parti communiste chinois, où l'on assiste à un feu roulant contre l'U.R.S.S. et contre les États-Unis. L'obsession toujours de l'encerclement. Le pays est menacé. Priorité est donnée à l'Armée. Chef d'état-major général, Lin Piao apparaît comme le dauphin de Mao. La nouvelle direction du parti reflète les trois tendances du parti : l'armée ; les cadres qui tiennent depuis vingt ans l'appareil ; les jeunes, révélés par la révolution culturelle.

Des divergences opposent parfois les trois tendances mais un consensus les réunit : l'opposition à l'U.R.S.S. qui, tout au long de cette année 1969, augmente, en effectifs et en matériel, sa pression aux frontières de Chine.

Et au beau milieu de l'année, en juin, M. Léonide Brejnev lance, au cours de la conférence des partis communistes à Moscou, l'idée du pacte de sécurité collective en Asie. J'y reviendrai.

Une éclaircie, semble-t-il : M. Alexis Kossyguine et Chou En-laï se rencontrent en septembre 1969 aux obsèques d'Hô Chi Minh. Ils décident de reparler du problème des frontières. Le mois suivant, une délégation russe se rend à Pékin mais l'état-major soviétique ne réduit pas d'un seul troupier ses effectifs à la frontière. Il maintient la pression.

« Cette délégation cherche à endormir notre vigilance », concluent les Chinois. Et la crainte de la guerre s'installe plus encore. Automatiquement, ils cherchent des alliés et se décident enfin au renversement capital : ils se tournent vers les États-Unis afin de libérer un front.

Malheureusement, la guerre continue au Viêt-
nam et rend les contacts difficiles entre Chinois
et Américains. En dépit de cet obstacle, Pékin
lance, en avril 1971, sa fameuse invitation aux
joueurs américains de ping-pong.

CHAPITRE 15

L'invitation à Richard Nixon

Les pongistes américains acceptent l'invitation. Et le 18 juillet 1971, le président Richard Nixon annonce qu'il ira en Chine. L'isolement chinois est terminé.

Pékin avait pris très au sérieux des propos de M. Nixon à Guam, qui laissaient entrevoir un dégagement de son pays en Asie et surtout affirmaient le désir de mettre fin à la guerre au Viêt-nam. Chinois et Américains partagent le même intérêt : faire barrage à l'expansion soviétique. Tokyo, qui n'avait pas été averti de la décision de M. Nixon, est stupéfait, irrité, préoccupé. Aussitôt Moscou lance à l'intention du Japon une opération de charme. Au Kremlin, le rapprochement sino-américain est reçu comme un camouflet et l'on prévoit l'entrée très proche de Pékin à l'O.N.U. avec toutes les surenchères que cette présence va entraîner.

M. Nixon met son projet à exécution. Il est à Pékin le 21 février 1972 et rencontre Mao Tsé-toung. Les deux hommes se prononcent contre toute hégémonie. Cette déclaration est évidemment dirigée contre les Russes, elle est une réplique au pacte Brejnev de sécurité collective qui, lui, était dirigé contre les Chinois.

La « clause antihégémonie », comme on la nomme, est devenue un point cardinal de la diplomatie chinoise. Quand, en septembre 1976, le Japon s'exaspère de l'immobilisme russe sur le problème des îles Kouriles (occupées par les Soviétiques), il annonce par la voix de son Premier ministre qu'il est prêt à signer la clause antihégémnie. Dans tous les pays de l'Asie du Sud-Est le diplomate chinois fait son pain quotidien de la fameuse clause.

M. Nixon, après Pékin, va à Moscou. Son raisonnement ne manque pas de subtilité : les Russes vont encaisser le coup du rapprochement sino-américain et seront obligés d'en tenir compte. De fait, M. Léonide Brejnev se montre réellement conciliant. Hanoï se sent lâché par les Russes, craint pour son ravitaillement en armes et lance une attaque sur le Sud. De Moscou, M. Nixon fait passer l'intérêt de sa politique avant les lois de l'hospitalité. Il commande à son aviation de bombarder Hanoï. Brutalement. Pour montrer qu'il avait repris la puissance complète grâce à son accord avec la Chine.

M. Brejnev ne bronche pas. Au contraire. M. Nixon et lui s'accordent pour observer désormais la parité dans les négociations. C'est une première. Les deux hommes discutent de la paix au Viêt-nam et préparent les Accords de Paris de 1973 dont tout le monde s'attribuera le mérite, l'U.R.S.S., le Nord-Viêt-nam, la Chine, le Sud-Viêt-nam et même le gouvernement révolutionnaire provisoire (G.R.P.). A partir de mai 1972, le Viêt-nam est devenu un des principaux enjeux de la rivalité russo-chinoise. Un enjeu et un symbole.

Pour Mao, un problème interne est né de son rapprochement avec Washington. Une campagne d'explication est nécessaire au sein du parti. Il nie qu'il y ait contradiction entre son alliance avec la Mecque du capitalisme et le soutien aux guerres de libération nationale. Ce thème devient constant et se marie très bien avec la thèse de l'opposition aux Soviétiques qui, eux, sacrifient, au nom de la détente, les révolutionnaires d'Asie, d'Afrique et d'Amérique latine. Ces trois continents deviennent des terrains de mission pour la propagande chinoise.

Et l'U.R.S.S. est plus que jamais, honnêtement et sincèrement, l'ennemi privilégié, au sens plein du terme.

Chou En-laï, qui sort vainqueur de la lutte contre Lin Piao [1], et apparaît comme le numé-

1. Cf. sur l'affaire Lin Piao le chapitre 12 : « Comment Georges Pompidou renvoie l'auteur en Asie. »

ro 2, entreprend une diplomatie tous azimuts. Il
attaque, essentiellement, l'U.R.S.S. à chaque
occasion : problèmes frontaliers, politique du
Kremlin en Europe.

Il se tourne vers le Japon dont il attise la
déception à l'égard de Moscou. Il se tourne vers
l'Asie du Sud-Est et cherche à exercer une sorte
de suzeraineté. Pas de domination. Pas de colo-
nialisme. Tous les chefs d'État de la région, à
l'exception de M. Suharto, le président indonésien, font le pèlerinage de Pékin. Devant cette
avancée politique, l'U.R.S.S. redouble d'efforts
en Inde, en Corée du Nord, en Mongolie. Elle
noue des relations avec la Malaisie, Singapour,
le Thaïlande, les Philippines, l'Indonésie.

Dépassant les cadres régionaux, la rivalité
russo-chinoise s'étend au tiers-monde. Partout
où les Russes se placent, les Chinois cherchent à
suivre ou même à précéder. Chaque fois, ils
expliquent ce qui les sépare des Russes. Chaque
fois, ils exposent leurs raisons de croire à une
guerre déclenchée par Moscou.

CHAPITRE 16

Où l'on apprend une confidence de Mao Tsé-toung à Georges Pompidou

Mao Tsé-toung a apporté une nuance au cri d'alarme de la Chine. Il parie sur la guerre comme Pascal pariait sur l'existence de Dieu. C'était le mercredi 12 septembre 1973.

La fin de l'été incendiait Pékin. Georges Pompidou, qui visitait la Chine, était, cet après-midi-là, en conversation avec Chou En-laï lorsqu'un inconnu entra et prononça quelques mots à l'oreille du Premier ministre chinois. Se retournant vers Pompidou, Chou En-laï lui dit : « Le Président Mao Tsé-toung serait heureux de vous voir, monsieur le Président. Vous pouvez vous faire accompagner par une personne de votre choix. »

Georges Pompidou se leva, la délégation française groupée autour de lui, et il glissa à Jean de Lipkowski, secrétaire d'État aux Affaires étrangères : « Venez avec moi, Mao nous attend. »

Quand on s'imagine l'albatros à terre, avec

ses ailes de géant qui l'empêchent de marcher, on se représente Mao à cette époque-là. Les bras en creux, enfiévrés par la maladie de Parkinson, le costume en drapeau, il avance, voûté, le pas alourdi comme par des semelles de plomb. Son visage rond est poli comme une théière. Pompidou a préparé une phrase de haute courtoisie : « Je suis très honoré de rencontrer l'un des hommes qui ont changé la face du monde. » Mais Mao, très prosaïque, le coupe : « Eh bien, moi, je suis complètement foutu. »

La scène se passe dans la fameuse bibliothèque. La salle ressemble plutôt à une mercerie avec ses étagères encombrées de boîtiers où sont serrées des dizaines de milliers de fiches. Mao, enfin, a pu gagner son fauteuil. La maladie, qui déforme sa bouche, ne lui permet plus d'articuler. Deux jeunes filles embusquées derrière son fauteuil, penchées en avant, tentent d'interpréter les sons aigus qu'émet le Grand Timonier. Évidemment, il parle de la guerre.

«Aujourd'hui, dit-il, il y a ces deux grandes puissances. Je décris parfois notre monde en le comparant à un sandwich coincé entre ces deux forces.

— Nous essaierons de ne pas être saignants, ironise Georges Pompidou.

— Oui, mais il faut se préparer.

— J'ai eu l'occasion de rencontrer les dirigeants de ces deux puissances. Elles se déclarent pacifiques et je crois qu'elles ont des raisons de l'être. »

Dans son fauteuil, Mao Tsé-toung agite les bras avec passion. Un cri strident jaillit de ses lèvres. Les jeunes filles, courbées autour de la tête du vieux chef, s'agitent. Elles livrent la traduction : « Je ne le crois pas du tout. Tôt ou tard, il y aura la guerre. »

C'est alors que Mao Tsé-toung énonce son pari de Pascal : « Il vaut mieux, avant tout, considérer l'éventualité de cette guerre. En second lieu seulement, on peut conjecturer sur la possibilité de paix. Sinon, nous perdrions notre vigilance. »

CHAPITRE 17

Une guerre de religion

Le conflit sino-soviétique est en quelque sorte un phénomène religieux. Le texte sacré, c'est le marxisme-léninisme. Le cortège, on le connaît : de temps en temps, un aspect de déification auréole celui qui conduit l'Église. Mao a été déifié, même s'il ne le souhaitait pas. Il a été considéré comme un messie. Staline aussi, en son temps. Dans l'histoire religieuse, un prophète surgit de temps à autre et entraîne les foules. A sa mort, on magnifie l'homme et il arrive même qu'on l'embaume.

Aujourd'hui, Russes et Chinois sont dans la même situation que le serait Paul VI si un autre pape surgissait. Ni à Moscou ni à Pékin, on ne peut admettre que l'autre détienne la vérité. Car celui qui détient la vérité est chargé de la diffuser au monde entier qui doit l'accepter. C'est ce que l'on nomme la révolution mondiale. L'Église catholique possède exactement le même caractère missionnaire, elle détient la vérité, elle va la dire partout. C'est elle, et elle seule. La révolution mondiale ne peut se faire que par les Russes ou par les Chinois. Dans le cas où les Russes sont détenteurs du message sacré, la Chine devient terre de mission comme les autres pays.

Chacun, donc, affirme qu'il détient seul la vérité. L'autre est schismatique. Et un schisme est toujours irréversible. Il n'y a aucune possibilité d'accord, tant que le problème est d'ordre mystique. Il n'y a pas non plus de réconciliation envisageable.

Quand M. Georges Marchais ou M. Enrico Berlinguer offrent des condoléances pour les funérailles de Mao, ils commettent une erreur fondamentale. Les Chinois ne pouvaient accepter et ils ont marqué leur désaccord en renvoyant les gerbes.

« Nous sommes surpris devant cette attitude incompréhensible, déclare M. Gian Carlo Pajetta, un des chefs historiques du parti communiste italien. Cette façon d'étiqueter les partis, orthodoxes ou non, devrait appartenir au passé. Il faut pouvoir dialoguer. » Les communistes italiens, apparemment, ne comprennent pas qu'il s'agit d'une opposition philosophique et qu'il n'y a rien de plus profond.

En Chine, M. Marchais passe pour un inconditionnel de Moscou, et, couramment, on me répète que le P.C. français n'est qu'un satellite du P.C. soviétique. Il n'est donc pas question du

moindre lien, du moindre échange. Qui dit
schisme, dit rupture complète.

Curieusement même, l'interdit couvre les
alliés du P.C. français. M. François Mitterrand,
il y a quelques mois, envisageait de se rendre à
Pékin. L'ambassadeur de Chine à Paris m'a dit :
« Ce n'est pas demain qu'il aura un visa. »

Très logiquement, les Chinois acceptent, à
l'inverse, les relations d'État à État avec les
autres pays communistes. Là, nous ne sommes
plus dans le flamboiement de la philosophie
mais dans le terre-à-terre de la diplomatie.

CHAPITRE 18

Du côté de Moscou

A la fin de la Seconde Guerre mondiale, Staline avait imaginé que la Chine serait un champ de bataille permanent où les Américains iraient s'engluer. De fait, Washington avait placé 1 500 conseillers militaires auprès de Tchang Kaï-chek. Staline était convaincu que les États-Unis amèneraient renforts sur renforts.

Mao Tsé-toung, en descendant sur Pékin, en 1949, à la tête de son armée de soldats grêles, austères et fiévreux, a déjoué ce plan. Mon ami Jean de Lipkowski était en poste à Nankin, à cette époque-là. Il confie : « Tout le monde a été surpris par la soudaineté de la victoire communiste. Mao récoltait une moisson qu'il avait semée vingt ans plus tôt pendant la Longue Marche, cette Arche de Noé du communisme. Les hommes de Tchang Kaï-chek répétaient que les communistes étaient des bandits rouges. Les paysans ne le croyaient pas. Ils se souvenaient que, pendant la Longue Marche,

Mao secourait le pauvre et pénalisait le riche. »

Le plan de Staline de transformer leur pays en un Viêt-nam gigantesque est connu de tous les Chinois. Ce peuple a une mémoire historique sans pareille, grâce à son théâtre, art populaire et très bon marché. Pas une pièce qui ne soit une pièce historique. Cet outil de culture et d'information entretient un patriotisme exigeant devant lequel les Russes sont démunis. Ne pouvant prendre pied à l'intérieur, ils ont opté pour l'encerclement.

Au cours de son histoire, la Russie a toujours hésité entre une vocation européenne et une vocation asiatique. La dernière guerre mondiale a déstabilisé le monde. Les empires coloniaux, français, anglais et hollandais, maintenaient un ordre militaire, imposaient une organisation économique. L'Afrique, l'Asie ne bougeaient pas, ou peu. Et voici qu'après la guerre, tout s'effondre en commençant par l'Asie.

Les « patrons » disparaissent. Le monde est en quête d'un nouvel équilibre. Moscou décide : « C'est le moment de restabiliser l'ensemble, à notre profit, cette fois. »

Les moyens des Russes sont multiples mais ils se fondent sur le même principe : exporter le système soviétique dans tous les pays.

En Asie, le schéma a trouvé son couronnement dans la proposition de M. Léonide

Brejnev, en juin 1969, d'un pacte de sécurité collective qui grouperait l'arc de pays au sud-ouest et au sud de la Chine. Ce pacte sous-entend la reconnaissance d'une certaine hégémonie soviétique. Il n'a suscité partout que méfiance. Dès le début, les Chinois n'ont rien fait de plus qu'informer les autres pays d'Asie que Pékin était opposé au plan de Moscou. C'est Chou En-laï lui-même qui s'est chargé de cette mission. A ma connaissance, il n'y a eu aucune pression chinoise pour amener les pays de l'Asie du Sud-Est à refuser le plan soviétique. Voilà un exemple de la mentalité chinoise : on n'oblige pas, on prévient que... Moralité : le pacte Brejnev n'a suscité que de la méfiance et il n'a recueilli strictement aucune adhésion.

Quand les Russes, à la fin de la dernière guerre, ont voulu créer un glacis sur leurs confins occidentaux, ils ont imposé aux pays de l'Europe de l'Est des systèmes communistes à la manière soviétique. Et ils les ont imposés par la force. Pas de révolution. Seule la règle de fer de l'Armée rouge.

Les Chinois opèrent à l'opposé. Il appartient, disent-ils, à chaque pays d'Asie, en s'inspirant des idées fondamentales de la révolution chinoise, de mener lui-même sa propre expérience. Expérience qui ne débouche pas forcément sur des résultats identiques à ceux obtenus en Chine. A chacun son pragmatisme.

Pékin entretient les meilleures relations avec le
général Ne-Win en Birmanie, ou avec M. Lee Kuan
Yew à Singapour, c'est-à-dire avec des chefs
d'État foncièrement anticommunistes. L'essentiel est que progressivement ces relations aient lieu
dans le large cadre d'une suzeraineté chinoise.

Quand M. Brejnev a proposé son pacte, Mao
Tsé-toung a riposté par une proposition plus
large, plus floue : la clause antihégémonie [1].
C'est la manière pour les pays d'Asie de s'entendre pour refuser la dépendance d'une grande
puissance. Quelle qu'elle soit. États-Unis naguère, mais c'est terminé. Union soviétique,
aujourd'hui.

Les Chinois sont allés plus loin avec leur
clause antihégémonie. Chou En-laï a proposé
un texte très général, sans citer l'U.R.S.S. bien
sûr, mais en précisant : pas de sphères d'influence dans n'importe quelle partie du monde.

Et la clause antihégémonie a été signée par
trois pays d'Asie du Sud-Est. Le Japon lui-
même envisage d'y adhérer, tant il est déçu par
M. André Gromyko, intraitable sur le sort des
îles Kouriles du Sud que les Russes ne veulent
pas rendre à Tokyo.

Mais Moscou n'est pas résignée à se faire
bouter hors d'Asie. A preuve cette confidence
d'un diplomate soviétique.

1. On a vu la genèse de la clause antihégémonie au chapitre 15.

CHAPITRE 19

Où un ambassadeur d'U.R.S.S. applique la devise de Mac-Mahon

L'ambassadeur d'U.R.S.S. à Hanoï n'est pas un personnage de la diplomatie de la tasse à thé. C'est un costaud du genre armoire à glace, qui ne mâche pas ses mots.

En 1974, lorsque je le rencontre au Viêt-nam, il a dans les quarante-huit-cinquante ans. L'ambassade de France à Hanoï a été entièrement détruite à la suite d'un bombardement américain et c'est dans une maison voisine que j'ai un tête-à-tête avec le représentant de Moscou. Il fait très beau, ce soir-là.

« Pourquoi êtes-vous ici ? me questionne-t-il.

— Le gouvernement français, à la suite de la conférence de Paris, estime que le moment est venu de reprendre langue avec les dirigeants vietnamiens. Mon rôle est d'étudier la possibilité d'une aide économique. »

Je lui explique ce qui est dans nos cordes et je conclus :

« Bien entendu, notre assistance ne peut

atteindre l'importance de la vôtre. Je ne sais pas
ce que vous ferez dans l'avenir, mais ce que vous
avez déjà donné est considérable par rapport à
l'aide chinoise.

— Nous faisons tout, bougonne-t-il, les
Chinois ne font rien. »

Affirmation exagérée car Pékin s'efforce de
secourir tout de même un peu les Vietnamiens.
Je le reprends :

« C'est une affaire que vous faites. Votre attitude est mue par des raisons idéologiques. Vous
avez à soutenir l'idéal révolutionnaire des Vietnamiens...

— Pas seulement, me coupe l'ambassadeur
d'U.R.S.S. Nous, Soviétiques, nous ne pouvons
être absents de l'Asie du Sud-Est. Notre effort
marque notre volonté de présence en Asie du
Sud-Est. Quels que soient les événements, nous
y resterons. »

Sans phrases alambiquées, la position de
Moscou est ainsi exprimée à la manière de Mac-
Mahon, « J'y suis, j'y reste » : nous n'accomplis-
sons pas ici la mission désintéressée des propa-
gateurs de la foi. Chinois, attention, le Viêt-nam
est à votre frontière et nous y sommes.

CHAPITRE 20

Où l'on découvre un condottiere made in U.S.A. : Douglas MacArthur

Le grand jeu asiatique, dominé par le tête-à-tête du Russe et du Chinois, comporte un troisième personnage venu d'outre-Pacifique : l'Américain.

Un diplomate, M. Ewin Reishauer, qui a été ambassadeur des États-Unis à Tokyo et qui est un des meilleurs experts américains des affaires japonaises, a commencé un de ses livres par ces mots : « Le Japon, notre voisin le plus proche en Asie. » Les États-Unis sont une grande puissance du Pacifique et, comme telle, ils se sont toujours intéressés à l'Extrême-Orient. Mais une période particulière a marqué l'histoire des relations entre les États-Unis et l'Asie : la guerre. L'opinion américaine a eu la révélation soudaine de son engagement dans le Pacifique le matin où les Japonais ont massacré la flotte de l'U.S. Navy à Pearl Harbor. C'est une attaque sur leur flanc asiatique qui a mis un terme aux hésitations des Américains et les a fait basculer dans la guerre mondiale. Alors, ce fut un fameux contact entre les États-Unis et l'Extrême-Orient.

Cette guerre du Pacifique est longtemps restée très mal connue en Europe. L'ignorance qui enveloppait des pays éloignés et un conflit qui chez nous nous mobilisait totalement ont empêché de suivre ce qui fut une véritable épopée : une conquête île par île, un front démesuré et multiple, des moyens gigantesques. Et le général Douglas MacArthur.

C'était un gaillard en manches de chemise qui marchait avec ses hommes. Il avait pris cette habitude en France en 1918. A monter à l'attaque, à la tête de ses hommes, il avait récolté deux blessures et ses étoiles de général à trente-huit ans. Au fond, pour ses soldats, il était un chef dans le genre de Leclerc pour les nôtres. Nous, nous avons eu un débarquement, la Normandie, trois si l'on compte la Sicile et la Provence. MacArthur, lui, en a organisé des centaines. Et avec devant lui des Japonais décidés à mourir. Souvent, les « marines », ayant réussi à prendre pied, découvraient des régiments entiers de Japonais qui s'étaient fait hara-kiri.

Il y a seulement quelques années, le 24 janvier 1972, dans le sud de l'île de Guam, deux pêcheurs d'anguilles ont été attaqués, dans la forêt, par une sorte d'homme des bois famélique, qui croyait pouvoir user des arts martiaux malgré sa grande faiblesse. Ce Robinson Crusoé était le sergent japonais Shoichi Yokoï, qui depuis plus de vingt-sept ans vivait caché dans un tunnel après avoir résisté aux Américains pendant des mois en 1944 et 1945. Il avait passé la moitié de sa vie, vêtu de fibres de coco et nourri d'écrevisses souvent crûes ou d'herbes sauvages. Un soldat du Mikado meurt mais ne se rend pas.

Le père du général Douglas MacArthur avait été le premier gouverneur américain des Philippines en 1898, et Douglas MacArthur avait une connaissance précise de l'Asie, de son histoire, de ses problèmes. De surcroît, il avait une tête politique assez exceptionnelle.

Lorsqu'il est arrivé au Japon, il lui a fallu régler la question de l'empereur. MacArthur savait que la personne du Mikado avait un poids colossal : les soldats japonais se faisaient tuer pour lui et ne discutaient jamais un ordre de Hiro Hito. Quand, en 1972, le sergent Shoichi Yokoï a été rapatrié, il a éclaté en sanglots en touchant la terre de sa patrie, puis il s'est repris et a annoncé, le menton haut : « Je suis revenu avec le fusil que m'avait confié l'Empereur. » Chaque soldat était en effet comptable de son fusil devant le Mikado, c'était un présent sacré.

Douglas MacArthur avait jugé nécessaire de démolir l'autorité de l'Empereur. Il le convoqua. Hiro Hito arriva en jaquette et hautde-forme. MacArthur était en bras de chemise et en uniforme. Le général commanda : « Vous allez déclarer solennellement que vous n'êtes pas le fils du soleil. » Et le Mikado s'exécuta. Le pouvoir du souverain avait sa source dans son origine divine.

N'importe quel autre général aurait dit : « C'est terminé, je proclame la république. » Lui a dit au contraire : « La dynastie demeure. » Il avait cassé l'autorité, il conservait, de la monarchie, la structure sociale.

MacArthur a toujours fait grand cas de la mentalité locale. Comme le maréchal Lyautey qui, devant le sultan, descendait de cheval et mettait un genou à terre. Et puis MacArthur s'est intéressé à la question constitutionnelle, aux problèmes économiques. Il a supprimé les grands trusts nippons. Il a entamé la réforme agraire. Ce n'était pas seulement un baroudeur.

CHAPITRE 21

Les lignes de défense des États-Unis

Cette guerre du Pacifique a été le premier contact brutal des États-Unis avec l'Asie, avec, en prolongement, la présence américaine au Japon qui reste encore aujourd'hui, avec Okinawa en particulier, un des points clés de la stratégie du Pentagone dans le Pacifique.

Second contact, la guerre de Corée de 1950 à 1953. Les Américains se sont considérés comme le rempart du monde libre face à l'invasion communiste. La situation, avec une Corée coupée en deux, n'a pas essentiellement varié : des éléments de l'Armée américaine sont toujours stationnés en Corée du Sud, avec la capacité atomique.

Au début des années 50, la pensée des hommes politiques était essentiellement accaparée par l'économie et le développement. La guerre de Corée est survenue pour prouver que la défense demeurait une nécessité et que les Américains ne devaient pas oublier que l'Asie reste leur voisine.

Pour la protection même du territoire national, le Pentagone est contraint d'envisager des
plans asiatiques, des lignes de défense. Une de
ces lignes passait par le Viêt-nam. L'Asie du
Sud-Est était si importante dans la stratégie de
l'État-major de Washington qu'elle justifiait une
guerre comme celle du Viêt-nam. En vies
humaines, en matériel, en argent, l'effort américain a été colossal. Il donne la mesure de l'intérêt que les États-Unis portaient à la conservation de ce territoire.

L'échec, le retrait américain ont provoqué à
l'égard des États-Unis, dans l'ensemble de
l'Asie, une perte de crédibilité qui sera difficile à
surmonter. Pour leur défense, nombreux sont
ceux qui n'ont plus foi en la parole du président
des États-Unis. Au printemps 1975, au lendemain de la prise de Saïgon par les Vietnamiens,
le ministre nippon des Affaires étrangères,
M. Miyasawa, a bondi de l'autre côté de
l'océan : « Et nous ? a-t-il interrogé. Si nous
sommes attaqués, nous ferez-vous le coup du
Viêt-nam et rembarquerez-vous ? »

Même inquiétude en Corée du Sud. « Si Kim
Il-Sung et les Coréens du Nord enfoncent la
frontière, peut-on compter sur vous ou non ? »
Le président Gerald Ford a pris des engagements très nets et les a rendus publics : « Quoi
qu'il arrive. » La ligne de défense actuelle passe
par la Corée du Sud, par Okinawa, par les bases

américaines aux Philippines — remises en cause depuis peu par le président Marcos — et par la Micronésie. Les Américains paraissent agir, sur le plan de la défense, comme s'ils avaient passé par pertes et profits la quasi-totalité de l'Asie du Sud-Est.

Risque-tout, le général Douglas MacArthur avait voulu éviter, à sa façon, cette pente savonneuse du repli. En 1951, poussé par son esprit offensif, il disait en Corée : « Il faut casser, il faut bombarder le Yalu et au-delà de la frontière chinoise. » Il voulait en terminer avec le communisme chinois dont l'implantation était récente : deux ans à peine. Il aurait modifié l'équilibre de la planète et mis en péril la paix du monde.

Harry Truman, le président des États-Unis, l'a arrêté dans son élan : « On ne peut se payer ce luxe. » Les militaires sont soumis aux politiques et MacArthur s'est incliné. Truman avait raison. Les bombardements du Yalu n'eussent servi à rien. On peut écraser des villes, anéantir des populations. On ne tue pas la conscience d'un peuple. La grande force de Mao Tsé-toung et des Chinois est justement qu'on ne peut pas les réduire à zéro. Les Romains faisaient dévorer les premiers chrétiens par les lions, mais il en restait toujours. Et s'il en reste un, la résistance continue.

Je suis sûr qu'il y a aujourd'hui même en

Russie des gens intelligents, militaires ou politiques, qui estiment : le moment est venu d'en finir avec la Chine car si l'on attend ce sera la quadrature du cercle. Ces esprits-là analysent toujours des situations en fonction d'un rapport de forces immédiat. Dans les guerres coloniales que nous avons connues, il y avait aussi des olibrius qui disaient : finissons-en. En finir avec l'Algérie, cela signifie quoi ? On a essayé. En finir avec le Viêt-nam, cela signifie quoi ? On a essayé. Cela ne signifie rien [1].

---

1. « Un pays faible est à même de vaincre un pays fort et un petit pays de vaincre un grand pays. Le peuple d'un petit pays triomphera à coup sûr de l'agression d'un grand pays, s'il ose se dresser pour la lutte, recourir aux armes et prendre en main le destin de son pays. C'est là une loi de l'histoire. » Mao Tsé-toung, 20 mai 1970.

CHAPITRE 22

Un des plus grands réservoirs de pétrole du monde

On a vu ce qu'il est advenu de la volonté américaine d'établir un barrage contre le communisme en Asie. La Chine, le Viêt-nam... Mais Washington continue tout de même d'assister cinq pays groupés dans l'Association des nations de l'Asie du Sud-Est, connue sous son sigle anglais, l'ASEAN. Le meilleur ciment de ces cinq pays, Singapour, la Malaisie, l'Indonésie, les Philippines et la Thaïlande, est l'anticommunisme. Ici, l'influence américaine est certaine. Elle se traduit par une aide économique abondante.

Pour les cinq de l'ASEAN, le communisme ennemi est aussi bien celui de Moscou que celui de Pékin. Ils ne veulent être liés ni à l'un ni à l'autre. Non alignés, ils veulent naviguer entre les deux écueils. Ils veulent rester eux-mêmes et vivre dans un système économique qui n'a rien de commun avec le système marxiste.

Les Chinois ont des communautés actives partout en Asie et aucun des cinq pays ne souhaite être, petit à petit, entraîné dans l'orbite exclusive de Pékin. Le conflit permanent entre la Chine et la Russie risque de faire d'eux, dans l'hypothèse d'une guerre chaude, un champ de bataille, et en cas de paix à main armée, comme aujourd'hui, un champ d'affrontement permanent.

Si la présence américaine a ses raisons stratégiques et politiques, elle a tout autant ses causes économiques. Ces pays sont très riches en matières premières. La Malaisie est le plus gros producteur d'huile de palme du monde, le plus gros producteur de caoutchouc. En Indonésie, le pétrole qui jaillit emplit un million et demi de barils chaque jour. Elle est le onzième producteur mondial.

On trouve du pétrole partout et l'intérêt des États-Unis en est renforcé. La mer de Chine est, d'après les sondages et les études, un des plus grands réservoirs de pétrole du monde. Le gouvernement Thieu, à Saïgon, avait vendu des permis de recherche à des entreprises américaines. Les Français (Aquitaine), alliés aux Japonais, ont procédé à des forages au large de l'ex-Viêtnam du Sud. Les résultats ont été positifs. Dans le golfe du Tonkin, il y aurait aussi de l'or noir. La production chinoise de pétrole augmente sans arrêt. Aux Philippines également les recherches semblent positives. On a l'impression qu'il y a là un trésor fabuleux.

Les Japonais, eux, ne trouvent rien chez eux. Du moins jusqu'à maintenant. Ils importent leur pétrole de Chine et surtout du Proche-Orient.

Défense, politique, économie, énergie. Quatre raisons pour les États-Unis de ne pas se désintéresser du monde asiatique. En ajoutant, au chapitre de l'économie, les possibilités d'un marché sans limites. Au moment du premier voyage de M. Henry Kissinger à Pékin, en 1971, on racontait à Washington le rêve d'un homme d'affaires américain : « Si j'arrive à vendre une seule brosse à dents à chaque Chinois, je placerai 800 millions de brosses à dents. »

La perte de crédibilité que les États-Unis subissent depuis l'effondrement du Viêt-nam du Sud leur interdit d'être désormais en Asie au niveau des deux acteurs de premier plan, Pékin et Moscou. Mais cette influence qui s'est estompée sert le commerce américain. Pour les Chinois, Washington n'est plus un concurrent. « Rien ne vous empêche de venir en Asie, annonce ouvertement Pékin. Investissez, commercez où vous voulez. Les pays de cette région ont besoin d'être aidés économiquement. Faites-le à condition que votre action ne déborde pas sur le domaine politique et militaire. »

CHAPITRE 23

Le général de Gaulle montre le chemin aux Américains

« Le poids de l'évidence et celui de la raison grandissant jour après jour, la République française a jugé, pour sa part, le moment venu de placer ses rapports avec la République populaire de Chine sur un plan normal, autrement dit diplomatique. Il n'y a en Asie aucune réalité politique qui n'intéresse ou ne touche la Chine. Il n'y a ni guerre ni paix imaginables sur ce continent sans qu'elle y soit impliquée. La masse propre à la Chine, sa valeur et ses besoins présents, la dimension de son avenir, la font se révéler de plus en plus aux intérêts et aux soucis de l'univers tout entier. La France reconnaît simplement le monde tel qu'il est. Elle pense que, tôt ou tard, certains gouvernements jugeront bon de suivre son exemple. »

A partir du moment où le général de Gaulle a prononcé ces paroles, le 31 janvier 1964, la nécessité de « pouvoir entendre directement la Chine et aussi s'en faire écouter » est apparue

comme une évidence à tout le monde. Et surtout
à Washington.

Les Américains durent affronter un problème
très différent du nôtre. Ils avaient comme allié
Tchang Kaï-chek et ils considéraient, par la
force des choses, que la Chine, c'était Formose.
Or Mao Tsé-toung et Tchang Kaï-chek s'accor-
daient à soutenir qu'il n'y a pas deux Chines
mais une.

En dépit de tout ce qui les liait à Tchang Kaï-
chek, les Américains ont compris que la Chine,
c'était les 800 millions de Chinois du continent.
La difficulté pour M. Henry Kissinger a été de
convaincre les Formosans que la reconnaissance
de Pékin n'impliquait pas le départ des G'Is.
Puis de convaincre Mao Tsé-toung et Chou En-
laï : « Nous vous reconnaissons comme seule
Chine, mais pas question de quitter Formose. »
Tout le monde y a mis du sien. Mao Tsé-toung
avait trop intérêt à nouer des liens avec
Washington. Le 9 juillet 1971, M. Henry Kissinger débarque à Pékin. Six mois plus tard, le
président Richard Nixon est reçu avec pompe et
magnificence. Lorsque M. Gerald Ford, par un
accident du destin, remplace M. Nixon à la
Maison-Blanche, il accourt à Pékin afin d'y
trouver une sorte de sacre, une dimension internationale qui lui fait défaut.

La redécouverte de la Chine engendre une
mode aux États-Unis. A Washington, on parle

de « frisson chinois ». Tous les mystères et tous les parfums de la Chine planent sur le Nouveau-Monde. Une mythologie prend naissance. Les journalistes, la télévision frappent l'opinion : il y a 800 millions de Chinois, la moitié de l'humanité vit en Asie et les matières premières y abondent. Même la colonie chinoise des États-Unis se lance dans la propagande. Alors dans cette forteresse capitaliste, les milieux d'affaires bougent. C'est l'anecdote des 800 millions de brosses à dents.

Tout un clan a poussé à la reconnaissance de la Chine : « C'est peut-être un État communiste, mais nous avons bien des rapports avec l'Union soviétique. Pourquoi ne pas jouer les deux blocs communistes et voir, le moment venu, comment établir un équilibre ou même jouer l'un contre l'autre ? »

Aux États-Unis, il y avait — et il y a toujours — des partisans et des adversaires de la détente. La détente, c'est la possibilité de trouver un agrément aux termes duquel on s'accorde pour limiter les armements. Ceux qui sont hostiles à la détente assurent : « Ce mot n'a pas la même signification pour une cervelle soviétique et pour une cervelle capitaliste. » La conférence paneuropéenne d'Helsinki a été présentée comme un point cardinal dans l'histoire de la détente. Pourtant, il faut croire, puisque l'on continue d'en parler, que la libre circulation des hommes n'a pas la même signification pour M. Léonide Brejnev et pour M. Valéry Giscard d'Estaing.

L'Occidental donne l'impression qu'il cherche à se rassurer en nommant « détente » un certain nombre de phénomènes qui en réalité ne signifient rien pour ceux d'en face.

Les adversaires de la détente aux États-Unis ont soutenu : « Miser uniquement sur la confiance envers Moscou donne le vertige. Au lieu d'œuvrer seulement à supprimer les dangers de conflit avec les Soviets, à travers la détente, nous pourrions plutôt peser sur les difficultés que les Soviets rencontrent ici et là. » La « difficulté majeure », c'est évidemment l'os chinois. Pékin ne croit pas à la détente, il ne croit qu'à l'agressivité russe.

Washington a continué à avoir des rapports serrés avec les Russes mais en équilibrant Moscou par Pékin et Pékin par Moscou. L'obstacle dans les relations sino-américaines reste Formose tout de même. Maintenant que Mao est mort, les choses vont évoluer. Lentement. Je ne crois pas du tout à une volonté d'agression de la Chine envers Formose. Pékin se dit que l'île rentrera dans son giron, naturellement. En tout cas, depuis le printemps de 1976, les États-Unis réduisent nettement leurs effectifs à Formose. En affirmant aux nationalistes : c'est à vous d'assurer votre sécurité. Nous vous aiderons, nous

vous fournirons du matériel. Cette manœuvre
fait partie d'un plan avec Pékin, et signifie que la
réunification va se faire doucement. En Asie, la
notion de temps est différente.

CHAPITRE 24

Une ambassade très peu protocolaire

Rayonnement chinois, défi soviétique, recul américain. Sur la scène asiatique, les trois titans ne sont pas seuls. Un quatrième géant tient sa place, à sa façon, le Japon.

Lorsque, en 1964, le général de Gaulle m'a envoyé comme ambassadeur à Tokyo, je n'ai pas été explorer les lieux tout seul, comme c'est la coutume. Nous sommes partis tous ensemble ma femme et mes enfants. A l'aéroport de Tokyo il y avait foule de journalistes. C'était la première fois qu'un ambassadeur débarquait avec sept enfants à la fois. Le chef du protocole avait un enfant dans les bras. C'était très gai, très familial. J'ai dit aux journalistes : « En 1945, à Hanoï, j'étais le prisonnier des Japonais et j'ai dérobé son sabre au capitaine Ogoshi qui commandait nos gardes. Je le lui rapporte aujourd'hui. Qu'il vienne le chercher. »

Le sabre perdu du capitaine Ogoshi n'était pas, comme celui de Joseph Prudhomme, le plus beau jour de sa vie. Il n'est jamais venu le reprendre. J'ai toujours le trophée chez moi, en souvenir de notre vie en commun, si j'ose dire.

C'est la première fois aussi que les Japonais voyaient un de leurs anciens « hôtes » de guerre arriver comme ambassadeur. Avec cet art de s'exprimer, particulier à l'Asie, on me demandait fréquemment : « Vous avez déjà connu des Japonais, j'espère qu'ils vous ont bien traité. » Au début, j'étais un peu court et, invariablement, je répétais que j'avais eu le plaisir de faire connaissance avec l'armée japonaise et que tout s'était parfaitement passé. Mes interlocuteurs prenaient gaiement ces propos.

Il est intéressant, pour un diplomate à Tokyo, de voir les Japonais et non pas de perdre son temps dans une vie de cocktails et de réceptions. En dehors de quelques ambassadeurs, j'omets de rendre visite au corps diplomatique. Bien des dents grincent. Je m'en moque. J'ai trois desseins. Primo, me muer en agent de relations publiques du gouvernement français et de la France. Secundo, développer les relations commerciales au maximum. Tertio, épanouir l'influence culturelle.

Avec ma femme, je visite la quasi-totalité des préfectures et, chaque fois, nous sommes accueillis comme si c'était le général de Gaulle en personne. Les préfectures croulent sous les drapeaux tricolores. Je passe toujours à la télévision avec le gouverneur et mes premiers mots ont un ton un peu électoral en sa faveur : « Quelle préfecture merveilleusement tenue. » Au bout de quelques minutes, je lui demande :

« Connaissez-vous mon pays ? »

Qu'il réponde oui ou non n'a pas d'importance. Je poursuis :

« En tout cas, si vous allez demain en France, voici ce que vous pourrez voir. »

J'ai toujours avec moi des plans et de grandes photos. Je les place devant la caméra et des dizaines de millions de Japonais voient les réalisations françaises. Les relations publiques épousent les nécessités de l'économie. Plusieurs autres ambassadeurs, assez vite, découvrent mon stratagème et demandent à faire les mêmes tournées que moi. Les Japonais refusent :

« C'est lui qui en a eu l'idée. Et puis ce sont des voyages très difficiles à organiser. »

Dans quelle mesure peut-on intéresser les industriels français au Japon, le leur faire mieux connaître ? A mon arrivée, à l'aéroport, la colonie française est là. Au total elle compte 1 100 personnes dont 400 prêtres et religieuses. C'est peu. Du côté de l'économie et du commerce, il y a l'Air liquide, Air France. Une seule banque. Beaucoup viendront plus tard et, en 1977, à l'heure où j'écris ces lignes, la colonie française est bien plus nombreuse.

Avec l'aide du Centre national du patronat

français, le C.N.P.F., je crée un office franco-japonais, et demande à Pierre Sudreau de le diriger. Désormais, c'est lui qui va animer cet office, organiser des réunions d'information, des voyages d'industriels. Progressivement toutes les banques françaises auront des bureaux au Japon, chargés d'agir un peu comme des têtes chercheuses au profit des industries françaises. Les échanges franco-japonais, en 1977, sont encore faibles. L'avenir est selon moi à une coopération au sein de marchés tiers. Français et Japonais pourraient s'unir sur de très gros projets, selon la formule des « Joint Ventures » au lieu de s'époumoner, chacun sur le marché de l'autre.Une brèche tout de même : l'énergie atomique. Des contrats ont été passés. Mais si la France veut tenir sa place, deux conditions doivent être remplies. Primo : rechercher l'entente pour se partager les marchés tiers. Secundo : rénover complètement la structure des sociétés commerciales pour l'exportation. Un point capital que je développe plus loin (chapitre 32) et que j'ai proposé au gouvernement français.

CHAPITRE 25

Où l'on voyage à l'intérieur d'une termitière paternaliste

Les Japonais ont toujours eu un sens national très prononcé. Avant la guerre, ce nationalisme trouvait son défoulement dans l'Armée. Le Japon était la grande puissance militaire de l'Asie.

La guerre est arrivée, et la défaite. Depuis l'aube des temps, le Japon n'avait jamais été battu. Jamais il n'avait été occupé. Voici le pays à la fois battu et occupé. Les Européens se seraient seulement dit : « Nous avons été battus. » Les Japonais, eux, ont pensé : « Il s'est passé quelque chose d'extraordinaire. Cette déroute n'est pas concevable. Ou alors les gens qui ont réussi à nous battre ont un caractère tout à fait particulier. »

L'interrogation a été même posée sur le plan religieux. Épilogue : les vaincus se sont jetés dans les bras des vainqueurs. Et les vainqueurs, les Américains, ont ouvert grands leurs bras. Le Japon s'est reconstruit. Et un transfert du natio-

nalisme japonais s'est produit. Au lieu de se
porter sur l'Armée, il se porte aujourd'hui sur
l'économie.

L'orgueil du Japon — nation de 108 millions
d'habitants depuis le rattachement d'Okinawa —
est d'être la troisième puissance économique du
monde. Et d'être toujours en marche vers un
niveau supérieur. De très loin, il est, quoi qu'il
arrive, la première nation industrielle de l'Asie.
Cette discipline fantastique qui était au service
de l'Armée est au service des entreprises. La
capacité de travail, elle-même remarquable, est
canalisée par une société corporatiste et paternaliste originale et inimitable. Le Japon est dominé
par son industrie.

Aucun retour sur l'Armée dans la génération
actuelle. Les sabres sont pour longtemps aux
râteliers. L'article 3 de la Constitution, telle que
le général Douglas MacArthur et les Américains
l'ont faite, interdit aux Japonais d'avoir une
armée. Le pays possède toutefois, avec son
« agence pour la défense », un embryon d'armée. Aucun danger de le voir se doter d'une
arme nucléaire. Hiroshima et Nagazaki ont
provoqué un extraordinaire traumatisme.
L'idée même de la bombe atomique révulse les
Nippons. Les choses évolueront probablement
avec le temps et les nécessités de la défense.

Néanmoins, l'opinion publique a accepté les
centrales nucléaires. Elles produisent 7 % de

l'énergie du pays. Le plan prévoit qu'en l'an 2000 elles en fourniront jusqu'à 35 %.

Il y a vingt ans, faire accepter une centrale atomique à la population eût posé un problème politique majeur. C'est un progrès. Mais la bombe atomique, pas question.

Restent la discipline et l'organisation sociale. Chaque salarié japonais appartient à une sorte de corporation, de sa naissance professionnelle à sa mort. Il n'envisage pas en général de la quitter. Les vacances aussi se passent en groupe. Le plus curieux est qu'on n'imagine pas une minute qu'on puisse agir autrement.

Les économies sont souvent placées au sein de l'entreprise qui verse un intérêt. Le salarié est inséré dans un carcan et il n'en souffre pas encore, ce qui, pour nous, est inouï.

Une évolution se fait jour chez les jeunes. Il n'empêche. Une discipline oubliée en Occident est acceptée même chez eux. Ici et là, des étudiants manifestent. Rien à voir avec l'Europe. Une discipline à la japonaise encadre le mouvement, une discipline volontiers consentie qui donne à l'élan des contestataires une puissance insoupçonnée en Occident. Ces manifestations sont autrement plus brutales que celles des étudiants de chez nous. Car ce flot de jeunes dans la rue, c'est justement une armée, avec tous ses caractères.

CHAPITRE 26

La guitare, le soir, sur la place d'un village de pêcheurs

Si l'on proposait à n'importe lequel de mes enfants ou à ma femme de repartir demain vivre au Japon, ils iraient.

En 1964, nos deux filles aînées, Françoise et Chantal, ont 17 et 15 ans. Ma femme a tenu à ce qu'elles donnent des leçons gratuites de conversation française dans une université de Tokyo et elles ont des amis parmi les étudiants. Au lieu de vivre la vie classique des enfants de diplomates dans un pays étranger, elles voient de jeunes Japonais et sortent avec eux.

Ma femme et mes deux filles parlent même un peu la langue. Sans vaincre tout à fait deux difficultés majeures. D'abord, le Japonais possède dix-sept façons d'exprimer quoi que ce soit. On ne dit pas bonjour de la même façon à son père, à sa mère, à son frère, à sa sœur, à un supérieur. Un étranger a donc toutes les chances de se tromper. Ensuite, il est dix fois plus difficile d'apprendre une langue étrangère quand on ne la lit pas. On arrive relativement vite à s'exprimer en disposant de 400 mots. Comme un enfant qui ne sait pas encore lire mais peut parler toute la journée avec un vocabulaire restreint.

C'est le cas de mes filles, mais elles s'en tirent très bien. Nous faisons tout pour vivre le plus possible à la japonaise. Au lieu de passer nos vacances dans le Saint-Tropez japonais, Karusawa, où cohabite tout le corps diplomatique, ma femme loue une maison de pêcheur, sur une petite île, dans la mer intérieure, Chodoshima. Il n'y a jamais d'étrangers dans le village, sauf nous. Le soir, Françoise et Chantal jouent de la guitare sur la place et tout le village vient chanter. On vit absolument à la japonaise, au milieu des pêcheurs et avec eux.

Une aventure a créé des relations sentimentales entre le Japon et moi. Un éclat m'a traversé l'œil gauche en 1942, et quelques mois plus tard il était perdu. Tous les six mois je devais faire prendre la tension de cet œil et le professeur qui me soignait à Paris me dit avant mon départ :

« Au Japon, n'oubliez pas d'aller à l'hôpital. Je vais vous donner l'adresse d'un ophtalmo. »

J'y vais. Le médecin, le Dr. Nakayama, m'annonce qu'il va falloir m'opérer :

« La cornée de votre œil est très bonne. Accepteriez-vous de la donner à un aveugle ? »

Je n'y avais jamais pensé. J'en parle à ma femme.

« C'est à toi de décider », répond-elle.

Je retourne voir l'ophtalmo à l'hôpital Jutendo.

« Si vous croyez que ma cornée peut rendre la vue à un aveugle, je ne demande pas mieux que de vous la donner. »

Je suis donc hospitalisé. Pour être franc, la veille de l'opération, je ne suis pas très fier. Je rumine :

« Tu t'es lancé dans une histoire de fous. »

Ces idées frileuses sont heureusement balancées par la pensée que, dans la chambre d'à côté, un aveugle que je ne connaissais pas se dit : « Demain je verrai. » Quel espoir ce doit être !

La nuit se passe. On me conduit dans la salle d'opération. Là j'ai une surprise pénible. Le seuil de la douleur n'est pas le même pour un Asiatique et pour un Européen. La dose nécessaire pour endormir un Japonais est très, très faible. C'est comme si j'étais opéré à chaud, pratiquement sans anesthésie et je hurle. Et plus je hurle, plus les médecins que je vois penchés sur moi me sourient. Il faut savoir que, pour un Asiatique, le rire traduit très souvent un sentiment d'embarras. Les médecins sont à proprement parler gênés de me voir souffrir ainsi. Alors, ils rient.

Le lendemain, le médecin me recommande :

« Il faut marcher un peu. »

Je marche mais je suis aveugle. On m'a bandé les deux yeux. Je marche à tâtons le long d'un mur et soudain je sens que quelqu'un me prend le bras et baragouine en anglais :

« Qu'est-ce que vous avez ?

— On m'a enlevé un œil hier.

— Vous avez de la chance. Moi, j'ai une dépression nerveuse. »

Si je voyais clair, je lui flanquerais bien une paire de claques.

Encore une journée et le standard téléphonique de l'ambassade, tout à coup, est bloqué, par des centaines d'appels. Des camions de fleurs arrivent. Ma femme, stupéfaite, découvre dans les journaux, à la radio, à la télé, une campagne affolante sur le thème : « L'ambassadeur de France donne un œil à un aveugle. » Elle bondit à l'hôpital et apostrophe les médecins :

« Pourquoi ce charivari ? Mon mari a donné son œil parce qu'il souhaitait le faire. C'est tout. Alors qui a prévenu les journalistes ?

— Moi, a répondu l'ophtalmo. J'ai tenu une conférence de presse.

— Mais mon mari sera fou furieux quand il l'apprendra.

— Non. Parce qu'au Japon on ne trouve pas de donneurs et qu'il va nous aider ainsi à en trouver. »

La tradition japonaise est l'inverse de la française. Un automobiliste a un accident. Il lui faut immédiatement une transfusion. Vous passez sur la route, vous avez le même groupe sanguin que lui, vous lui donnez votre sang. Vous lui sauvez la vie, vous devenez un peu son père. Et puisque vous êtes son père, vous lui devez désormais assistance. Ce « fils du hasard » attend même peut-être de vous une pension. Non seulement vous lui avez donné votre sang, mais vous avez des devoirs envers lui. Dans ces conditions on ne trouve pas beaucoup de donneurs.

Le médecin, dans sa conférence de presse, a simplement voulu dire à ses compatriotes : « Prenez donc exemple sur cet étranger. Il faut que ce soit un Français qui vienne au secours d'un Japonais. »

Je reçois un nombre stupéfiant de lettres. Et l'on me révèle que, dans une vie antérieure, j'étais un moine célèbre du xı^e siècle. Douze ans plus tard, chaque fois que je passe par le Japon, il se trouve toujours quelqu'un pour me dire :

« Comment va votre œil ? »

CHAPITRE 27

Comment meurent les cerisiers et comment il faut humer Tokyo

Si vous avez huit jours de vacances, seulement huit jours, et que vous vouliez visiter Tokyo, je vous en dissuaderais. Ce n'est pas la peine. Vous serez déçu. Même avec une fortune à dépenser.

Si vous habitez Tokyo, vous aimez Tokyo. Il faut avoir le temps d'explorer les différents quartiers, surtout si l'on parle un peu le japonais. Hors des endroits pour touristes, on découvre des coins purement japonais, où l'on ne rencontre que des Japonais et où l'on a la révélation d'un art de vivre qui n'a son pareil nulle part au monde.

Cette ville est la capitale la plus peuplée du monde. L'ensemble Tokyo-Yokohama, qui constitue une seule et même agglomération, groupe 17 millions de personnes. Rien n'a été fait pour préserver l'environnement. Les rues sont surencombrées. Lorsqu'elles sont trop embouteillées, on construit une nouvelle voie au-dessus, en béton. Quand le boulevard du

premier étage est plein, on construit un autre
boulevard en deuxième étage. Le touriste effaré
peut ainsi voir quatre étages de rues avec de
grands piliers de béton, de grandes arches de
béton. C'est horriblement laid.

Les cerisiers meurent aussi. Tokyo est soumis
à une pollution épouvantable. Un effort
considérable est maintenant fait grâce à des
investissements importants. Le Japon a mis au
point des moyens qui vont améliorer la situation.

Le touriste pressé, lui, va plonger dans le
Tokyo des affaires et de la précipitation. Partout
la foule, étonnamment disciplinée, très uniforme, tout le monde a les cheveux noirs, tout le
monde a une chemise blanche, la ville entière
semble en uniforme. Autrefois, le soir, beaucoup de femmes portaient le kimono. Hélas,
d'année en année, il y en a moins. Les jeunes y
renoncent parce que c'est très cher et que c'est
peu commode pour le travail. A bicyclette, en
kimono, on ne pourrait pas pédaler. Au bureau,
en kimono, une dactylo serait bien embarrassée.
Dès qu'il y a une cérémonie, cependant, les
kimonos réapparaissent.

Des gratte-ciel, encore des gratte-ciel,
toujours des gratte-ciel. On a l'impression
qu'aucun plan d'urbanisme n'a été dressé. Tout
est conçu pour résister aux tremblements de
terre. Une technique spéciale. Quand on se

trouve à un 45ᵉ étage pendant un séisme assez fort, on se balance, on bouge beaucoup, mais l'immeuble ne tombe pas.

Dans le quartier de Ginza, le prix du mètre carré est plue cher qu'aux Champs-Élysées. Il n'est pas question d'y avoir une petite maison japonaise.

Mais écartons-nous. Le Japon, tel qu'il a pu être, se trouve ailleurs, dans d'autres quartiers. Tokyo est truffé de bars et de petits bistrots. J'adore flâner et baguenauder dans la foule. J'adore la nuit.

Les villes asiatiques vivent surtout la nuit. De 7 heures du soir à 11 heures, et même moins, ce n'est jamais tard. Dès chien et loup, l'embrasement est général, les néons, les lampions, tout. Les moindres venelles sont illuminées. Ce ne sont pas les réverbères, il n'y en a point ou peu, ce sont les lanternes des bistrots, les néons des enseignes et des façades d'immeubles. Le promeneur tombe sous le charme. Il ne peut pas ne pas être ahuri et déconcerté par ce bruit, cette lumière, cette foule.

La propreté est totale. On peut prendre un repas où l'on veut, sans le moindre risque. L'honnêteté est grande. Il n'y a pour ainsi dire aucun risque de vol dans la rue. Il y a quelques voleurs, bien sûr, mais le passant ne court aucun danger. Contrairement à New York, à Rome ou même à Paris, une femme peut se promener

seule le soir sans rien craindre. Il n'est pas
concevable d'accoster une fille dans la rue.

Cette Mégalopolis frappée de gigantisme,
propre à effrayer le nouveau venu, recèle des
trésors d'humanité. Si vous ne les trouvez pas,
vous ne pouvez pas aimer Tokyo. Huit jours au
Japon, cela n'a pas de sens.

CHAPITRE 28

Un groupe Chine-Japon ?
Rien ni personne
ne peut résister

Au plus fort de la crise du pétrole, les Européens et les Occidentaux en général n'ont pas perçu le danger que pouvait représenter un pays ayant les caractéristiques du Japon.

Les Nippons ont été très fiers de leur pays à l'heure militaire. Ils sont très fiers de leur pays à l'heure économique. Très vite, au cours d'une première conversation, ils font remarquer qu'ils sont la troisième puissance économique du monde. Que peut faire une nation, dont la force est intégralement économique, si elle voit cette force décroître ? Où conduira alors la discipline que ce peuple a mise au service de la production industrielle ? Quel exutoire choisira le nationalisme blessé ? Car, en cas de crise grave, soyons-en sûrs, le nationalisme mènera le Japon vers une aventure inconnue mais dont les conséquences seront en tout cas importantes.

L'archipel nippon ne recèle aucune matière première. Les Japonais sont contraints de se livrer à une quête qui couvre le monde entier. Il fut un temps où l'on disait : il n'y a pas une mine de n'importe quoi à vendre n'importe où sans qu'un Japonais se présente comme client.

Le pays transforme et il vend. Il ne vit que par le commerce extérieur : 10 % de la production, mais dans une organisation efficace et précise comme une machine d'horloger.

On ne devient pas la troisième puissance industrielle du monde sans faire naître des problèmes. Les salaires japonais qui étaient minimes montent d'année en année. Entre les syndicats et les entreprises, une dialectique s'est établie. Dans cet ordre social rigide, il est de règle que les discussions salariales aient lieu chaque année aux ides d'avril.

Les industriels, devant la hausse du coût de la main-d'œuvre, ont tendance à faire fabriquer une partie de leur production en Corée du Sud, en Thaïlande... où le prix de revient est incontestablement meilleur.

Les Japonais sont accusés par tous les pays d'Asie d'avoir troqué l'impérialisme militaire contre l'impérialisme économique. Trop, c'est trop. A Bangkok, deux sur trois des publicités au néon vantent des maisons japonaises.

En Asie, les touristes sont avant tout des Japonais, des cargaisons de Japonais. En 1975, 600 000 Nippons sont sortis de leur pays, que ce soit pour affaires ou pour tourisme. Ils sont là dans leur autocar qui regardent et qui étudient. Ils font toujours les choses sérieusement. On pourrait penser que cet argent japonais qui se déverse satisfait les pays visités. Pas du tout. Le touriste se conduit toujours un peu comme en pays conquis et il agace profondément. L'ancien Premier ministre, M. Kakuei Tanaka, au début des années 70, s'est fait huer d'abondance au cours d'une tournée en Asie du Sud-Est. Les sifflets ont provoqué une prise de conscience chez les Japonais : « Nous sommes haïs. Pourquoi ? » Un effort est fait aujourd'hui pour effacer l'impression d'une grande puissance avec laquelle il n'y a pas à discuter.

Le contraste de l'image japonaise est là : une puissance admirée pour avoir bâti un empire industriel, une nation détestée. Les autres pays acceptent volontiers l'assistance du Japon qui leur ouvre des prêts mais ils la considèrent comme le dû d'un parent qui a réussi. Et puis, il y a la mémoire des peuples. Pendant la Seconde Guerre mondiale, le Japon a laissé sur place des souvenirs qu'une génération entière n'oubliera pas. Partout, en Birmanie, en Malaisie, à Bornéo... car il est allé absolument partout.

Conscient de tous ces phénomènes, Tokyo sait que sa place en Asie est déterminante à la fois pour la Chine et pour les nations de l'Asie du Sud-Est. Mais, ici, le sempiternel duel des Rouges, le conflit sino-soviétique, réapparaît.

Les Russes n'entendent pas laisser le Japon se rapprocher trop près de la Chine.

Une alliance étroite entre, d'une part, la Chine et ses 800 millions d'habitants et, d'autre part, un Japon capable de mettre en route le potentiel économique de la Chine grâce à ses ingénieurs, ses techniques, ses matériels, créerait un déséquilibre planétaire. Un groupe Chine-Japon ? Rien ni personne en Asie ne peut résister.

Les Russes sont aux aguets. Ils sont tout près au nord. Les Kouriles, c'est en face de Hokkaïdo. Les Japonais jouent constamment de cette crainte. Dès que les Chinois font un pas de trop vers les Japonais, les Russes arrivent et font une proposition. Si les Russes s'approchent trop des Japonais, c'est au tour des Chinois de faire les yeux doux.

Le 6 septembre 1976, un Mig 25 soviétique se pose sur l'aéroport japonais d'Hakodate. Le pilote, le lieutenant Victor Belenko, demande l'asile politique. Depuis l'été, les relations soviéto-japonaises étaient bonnes. Une fois de plus, il fallait en chercher la raison en Chine où l'on avait mis des conditions exorbitantes à une normalisation des rapports entre Pékin et Tokyo. Le 13 août, sur les bords de la mer Noire, M. Léonide Brejnev avait reçu une délégation du patronat japonais. Survient le Mig 25, tracas pour les diplomates mais aubaine pour les ingénieurs. Les Américains débarquent aussitôt, on désosse l'appareil jusqu'au moindre boulon, on répertorie, on copie. L'avion le plus secret de l'aviation soviétique n'a pas plus de mystère désormais qu'un vulgaire jouet de Meccano.

L'Union soviétique, dont le Parti communiste vient d'avaler la couleuvre de ses condoléances refusées par Pékin, se fâche tout rouge. Elle lance un avertissement à Tokyo et quel avertissement ! Le pilote aurait été drogué, et enlevé. « Le gouvernement nippon envenime les rapports soviéto-japonais présents et à venir. » Pis. Le ministre des Affaires étrangères, M. Miyazama, était en croisière, quelques jours auparavant, au large des îles Kouriles du Nord, contrôlées par l'U.R.S.S. depuis la guerre et dont le Japon réclame le retour. « Des prétentions non fondées et illégitimes ne peuvent qu'engendrer l'hostilité entre l'Union soviétique et le Japon », déclare Moscou. Mais la prise du Mig 25 est trop précieuse. Les Japonais — et les Américains — ne le rendront aux Russes que lorsqu'il aura craché tous ses secrets.

CHAPITRE 29

Où l'on découvre que, pour un Nippon, faire de la politique étrangère, c'est vendre

La seule politique étrangère du Japon est ce désir d'être équidistant des deux Rouges.

Il y a un théorème qui ne souffre pas d'exception : « Quand un pays s'en remet totalement à un autre pour sa défense, il perd pratiquement toute possibilité de diriger lui-même sa politique étrangère. » Simple logique : un des fondements de toute diplomatie est d'assurer la défense d'un pays par un ensemble d'accords, de diplômes, au sens propre.

Dans la grande bataille qui se livre en Asie, le Japon ne peut pas être un combattant. Il ne peut être qu'une des lices du combat. Car il s'en est remis totalement pour sa défense aux États-Unis. Washington estime souvent que la note est chère. La population japonaise ne se gêne pas pour manifester. Des navires de guerre américains transportant des bombes atomiques sont signalés : manifestation. Les Américains expliquent qu'il ne s'agit pas de « sous-marins dotés de fusées atomiques », mais simplement de « sous-marins à propulsion nucléaire ». Un consensus s'établit. Mais l'opinion reste attentive. Elle le peut : elle est surinformée.

Onze chaînes de télévision sont à la disposition du téléspectateur. Souvent, une famille possède plusieurs postes. Les journaux tirent à 8 ou 9 millions d'exemplaires. A côté, nous avons en France des feuilles paroissiales. Ce peuple qui lit, qui voyage, qui travaille, est au courant, dans les moindres détails, de ce qui se passe dans le monde et surtout en Asie. Il a son opinion et ne se gêne pas pour manifester. Mais il n'a pas à proprement parler de politique étrangère. Ou plutôt, il a transposé sa politique étrangère — comme son nationalisme, nous l'avons vu — sur l'économie. Pour un Japonais, faire de la diplomatie, c'est vendre à l'étranger.

Cette structure du Japon moderne entraîne des conséquences originales. Le patronat japonais, le Keidanren, est tout-puissant. Il a la clé de l'expansion japonaise et domine le gouvernement. D'autant plus que l'osmose entre le privé et le public est très forte. Il y a une concentration des moyens. Nous pourrions prendre des leçons car le fossé en France est trop grand entre le public et le privé, et provoque une déperdition regrettable d'énergie. Les Japonais se permettent des opérations qui nous sont interdites. Gouvernement et patronat discutent ensemble.

Le gouvernement aide le secteur privé, et les industriels aident le gouvernement dans sa politique d'expansion.

Enfin les Japonais ont mis sur pied des sociétés d'exportation auprès desquelles les nôtres relèvent de l'épicerie de province. Ce sont les « trading companies », les sociétés commerciales, ou pour reprendre un terme du Grand Siècle, les sociétés de traiteurs.

CHAPITRE 30

Où l'auteur transmet un avis des Chinois aux Vietnamiens

Le Japon se tient sur le fil du rasoir. Le Viêt-
nam, malgré ses efforts, n'y est pas réellement
parvenu. En mars 1976, à Pékin, alors que je
prends congé du ministre chinois des Affaires
étrangères, M. Tchiao Kuan-huan, il me
retient :

« Vous allez à Hanoï ?

— Oui, dans deux ou trois jours.

— Vous rencontrerez certainement Pham Van
Dong.

— Bien sûr. C'est un vieil ami que je connais
depuis trente ans. »

M. Tchiao, sans hésiter, me glisse alors :

« Je souhaite que nos amis vietnamiens
comprennent que l'influence soviétique doit
tout de même finir.

— Eh bien, puisque vous me le demandez, je
le dirai à M. Pham Van Dong. »

En effet, trois jours plus tard, j'ai transmis
l'avis chinois à M. Pham Van Dong.

« Je sais très bien que telle est la pensée des Chinois, m'a-t-il répondu. Je ne comprends pas. pourquoi ils restent braqués sur cette idée. Nous, en réalité, nous pensons au Viêt-nam et nous ne sommes pas plus pour l'un que pour l'autre. Notre souci est justement d'être non-engagé. »

Manifestement, il est agacé par cette hantise chinoise de l'influence soviétique. Mais, je le répète, c'est le fond du problème.

Pendant la guerre du Viêt-nam, l'aide soviétique — et l'influence qui en découle — était telle, que les Chinois avaient finalement penché pour la thèse des deux Viêt-nams. Le Viêt-nam du Sud, soutenu exclusivement par les Américains, pourrait ainsi être à l'abri de l'ascendant soviétique limité au Viêt-nam du Nord. « Pas un Viêt-nam, disaient les Chinois. Deux ou trois, ça n'a pas d'importance. Mais pas un seul. »

La victoire du Nord sur le Sud au printemps de 1975 a été durement encaissée à Pékin. Voici l'ombre soviétique qui s'étend sur le Sud. Les Chinois sont pragmatiques. La réunification est accomplie, ils l'acceptent. A la mort de Mao Tsé-toung, c'est le Viêt-nam qui a manifesté le plus en Asie du Sud-Est. M. Pham Van Dong et le gouvernement vietnamien tiennent compte du voisinage immédiat de la Chine. Quel voisinage et quel voisin !

Dès la chute de Saïgon, les Russes ont demandé aux Vietnamiens de leur prêter sous une forme quelconque ou de leur louer la base navale de Danang, l'ancien port de Tourane du temps des Français. Ils en ont besoin car Vladivostok est leur seul port sur le Pacifique et il est impraticable au plus fort de l'hiver. En échange de l'effort considérable qu'ils avaient fait pour aider le Viêt-nam, ils espéraient une réponse positive. Ce fut *niet*. M. Pham Van Dong est très ferme à cet égard. « Il n'est pas question une seconde de louer ou de prêter des bases militaires que ce soit aux Soviétiques, aux Chinois, aux Américains, à qui que ce soit. »

Tentative soviétique. Réaction chinoise. C'est la règle. Immédiatement, les Chinois ont occupé les Paracels. Ce sont des îlots et des récifs de la mer de Chine. On y récolte des nids d'hirondelle et du guano. Il y a un litige. Les Paracels appartenaient au Viêt-nam mais elles sont revendiquées par la Chine. Nous, Français, sommes les coupables. Jadis, c'est nous qui avons pris possession de ces îles que les Chinois considèrent comme de leur patrimoine. C'était de peu d'importance. Mais aujourd'hui on suppute qu'il y a du pétrole. Mais là encore c'est la hantise des Russes qui a motivé l'occupation chinoise.

« Il ne faut pas chasser le loup par la porte de devant et laisser entrer le tigre par la porte de derrière », explique alors M. Teng Hsiao-ping. Le loup porte le costume de l'oncle Sam tandis que le tigre chausse des bottes en cuir de Russie.

La réunification, en tout cas, aurait pris une autre allure et serait peut-être demeurée plus longtemps en pointillé si le président Gerald Ford, et surtout son conseiller Henry Kissinger, avait accepté la proposition que m'avait confiée M. Pham Van Dong.

CHAPITRE 31

Où l'auteur est mêlé
à une tractaction
entre les Vietnamiens
et le président des États-Unis

Glabre, les pommettes saillantes, les cheveux blancs, une tête assez osseuse, très, très sec, M. Pham Van Dong n'a pas la mine joviale du mandarin chinois. Mais il a un regard souvent joyeux. Et puis, de temps en temps, il éclate de rire. Avec moi tout au moins. Je lui raconte une blague, il éclate de rire, mais carrément, à gorge déployée. Il a soixante-douze ans. Je le connais depuis 1945. Physiquement, il ne bouge pas.

Il a toujours été le Chou En-laï d'Hô Chi Minh. Énormément d'autorité et d'intelligence politique. Passionné par l'édification de son pays. Après trente ans de guerre, il a moins de résistance. Il m'a dit plusieurs fois : « Le moment n'est-il pas venu pour moi de décrocher ? de me reposer ? de laisser la place à un plus jeune ? »

Il est très direct. Je peux affirmer — et pour moi c'est primordial — qu'il m'a toujours dit la vérité. Nous avons une méthode de conversa-

tion. Il ne me donne pas de titre, il m'appelle
François Missoffe et on parle très librement.

Il parle le français aussi bien que s'il était
enfant de Touraine. Nul besoin d'interprète.
Lorsqu'il a quelque chose de très particulier à
dire, il me propose :

« Et si on faisait un tour ? »

Les gens qui assistent à l'entretien restent sur
place. Nous, nous sortons dans le parc qui
entoure ce qui fut le palais du gouverneur général. Il me prend le bras, on marche bras dessus,
bras dessous. A soixante-douze ans, il marche à
une vitesse étonnante, le pas de chasseur, absolument. Et il me raconte, seul à seul, ce qu'il a à
me dire.

Il a été extrêmement marqué par Hô Chi
Minh. Les loups-garous de Chang-Haï le classe-
raient dans le clan des révisionnistes car il a la
volonté ferme de s'occuper de production plus
que de révolution : « Je dois remettre mon pays,
dit-il, au niveau d'une puissance économique. »
La révolution est faite. Elle est peut-être à entretenir, mais la priorité des priorités, désormais,
c'est l'édification de l'économie.

L'automne de 1974, je reçois à Paris un
message de M. Pham Van Dong : « Pouvez-vous
venir à Hanoï ? » J'y cours. A l'époque, le Viêt-
nam est toujours coupé en deux. Dans le parc,
mon ami Pham Van Dong me dit :

« La réunification me paraît inéluctable.

Notre avis est qu'elle doit se faire politiquement et non militairement. J'ai besoin que quelqu'un explique nos vues aux Américains. S'ils nous entendent, nous organiserons la réunification dans les meilleures conditions pour tous.

— En quoi puis-je vous être utile ? »

M. Pham Van Dong me fixe. Quand il veut se faire comprendre, il fixe toujours ainsi comme pour faire pénétrer son idée dans le cerveau de son interlocuteur.

« Le président de la République française, M. Valéry Giscard d'Estaing, doit rencontrer dans quelques jours, à la mi-décembre, le président américain Gerald Ford, à la Martinique. Pourrait-il transmettre un document ? Je ne lui demande pas d'être un intermédiaire. Simplement transmettre un document sans commentaires. »

J'accepte. Je prends des notes, je rédige le document et je vais le revoir :

« J'aimerais que vous le relisiez afin que chaque terme soit pesé. »

Il me donne le feu vert. Je rentre à Paris et je remets le document à M. Giscard d'Estaing. MM. Ford et Kissinger commettent une erreur magistrale : ils font la sourde oreille. Quatre mois plus tard, l'offensive est déclenchée. Le Sud tombe en un mois.

CHAPITRE 32

Une proposition de l'auteur à M. Raymond Barre

Frêle, trop frêle pour arbitrer de quelque manière que ce soit le conflit sino-soviétique, la France doit-elle renoncer à tout rôle en Asie? C'était la question que m'avait posée Georges Pompidou lorsqu'il m'avait expédié en 1973 sur les traces de Marco Polo. Je réponds carrément par la négative. Non, la France ne doit pas renoncer. A condition que...

Nos liens, avec certains pays comme le Viêt-nam, ne sont pas négligeables. Liens du cœur d'abord. Un homme comme M. Pham Van Dong, n° 1 vietnamien, a une attitude particu-lière pour tout ce qui concerne la France. Il souhaite venir chez nous en visite officielle. Je suis certain que lorsque son avion survolera Paris, il éprouvera une réelle émotion. La France représente quelque chose pour lui et les hommes de sa génération, même s'ils l'ont combattue pour conquérir leur indépendance. La dernière fois que je suis allé à Hanoï, au printemps de 1976, j'ai annoncé dès l'arrivée que mes premiers pas me porteraient au mausolée d'Hô Chi Minh. Il venait d'être construit. L'homme qui a fabriqué l'Indochine est là, embaumé. Je l'ai revu dans son cercueil de verre, comme un gisant de chair, foudroyé. Je suis sorti bouleversé.

J'ai des photos du début de la révolution vietminh, en 1945, de petites photos d'amateur. On y voit l'installation du premier gouvernement vietminh à Hanoï. L'estrade avec tous les personnages. La place avec les premiers drapeaux rouges à étoile jaune, avec les délégations qui défilent. Par exemple, tous les curés catholiques et les séminaristes en soutane noire avec, sur la poitrine, l'étoile rouge. On y voit aussi M. Pham Van Dong haranguant la foule. Il avait la quarantaine.

J'ai tout mis dans un album et je l'ai donné à M. Pham Van Dong.

« Ce sont des photos historiques ! s'est-il exclamé. Nous ne les avions pas. On s'en servira pour les livres d'histoire. »

Une photo montre un banquet qui réunit la totalité du gouvernement. Hô Chi Minh préside et, en face de lui, se tient le citoyen Vinh Thuy. Ce n'était autre que l'ancien empereur Bao Daï.

J'ai raconté (à la fin du chapitre 12) comment la France avait été amenée à affecter une aide

économique au Viêt-nam. Ce que l'on nomme
une aide liée : le pays qui la reçoit ne peut l'utiliser que pour acheter du matériel au pays qui la
donne. Sur une terre ravinée par trente ans de
guerre, tout pratiquement est à faire. Par quoi
commencer ? Le choix était cruel pour les dirigeants. M. Pham Van Dong et ses amis avaient
déjà des idées. Restait à savoir si nous pouvions
répondre à leurs desiderata.

« Nous avons des côtes poissonneuses,
m'ont-ils dit. Si nous équipions nos jonques de
petits moteurs, nous serions aptes à nous essayer
à la pêche industrielle. Ensuite, nous nous équi-
perions en chambres frigorifiques, en conserve-
ries et nous aborderions le stade de l'exportation. »

Une firme française produit des moteurs
marins : Renault. Je vais voir M. Pierre Dreyfus
qui en était à l'époque le président. Il est intéressé. Et il dresse l'oreille quand je lui expose une
autre demande vietnamienne : créer à Hanoï
une fabrique de bicyclettes. Il l'a mise aussitôt
en chantier : les vélos portent la marque de
Peugeot mais la filiale qui les construit est Seri-
Renault. A Hanoï, je me déplace souvent à bicyclette, comme tout le monde — et c'est la meilleure façon de se promener dans une ville. Eh
bien, la Peugeot c'est un peu la Ferrari de l'industrie du cycle : les autres cyclistes la détaillent.
Si je laisse mon engin — ou plutôt celui de l'am-

bassadeur — contre un arbre, je découvre, au retour, un petit attroupement.

« Ce qui m'intéresse, me dit M. Dreyfus, c'est de m'implanter. Après les bicyclettes, on passera aux vélomoteurs. Ensuite, peut-être, aux petites voitures. Être présent au Nord-Viêt-nam, c'est être présent à la lisière de la Chine et du marché chinois. »

Trois obstacles se dressent devant la France dans sa tentative de commercer avec l'Asie. D'abord les industriels français méconnaissent la Chine et le Sud-Est du continent. Ensuite, ils sont naturellement réservés et beaucoup ne sont pas sensibilisés en matière d'exportation. Enfin, et ceci explique cela, ils ne sont pas équipés pour lutter.

Nous souffrons d'avoir eu un empire colonial au sein duquel nos entrepreneurs bénéficiaient de tous les privilèges. Les Allemands, qui n'avaient plus d'empire depuis 1918, sont habitués à travailler dans le monde entier et à se battre pour un pour cent. Et même pour un demi pour cent. Ils ont cinquante ans d'avance sur nous dans la pratique du commerce extérieur. Fort heureusement, la jeune génération de nos hommes d'affaires accroche bien mieux que le faisait celle de leurs pères. Mais sur un marché aussi vaste que la Chine, nous n'avons pas les moyens de réaliser un travail sérieux.

Les industriels français ne connaissent pas ou

connaissent mal le plan chinois. Ce programme change assez souvent et les priorités varient d'une année à l'autre. Le patron de Lyon ou de Metz, qui comptait passer un contrat pour la fourniture d'un matériel quelconque, se rend compte tout à coup qu'il est passé dans l'ordre des priorités à la 3ᵉ ou à la 4ᵉ ligne, alors que l'an dernier les Chinois lui commandaient de mettre le paquet. Or les études sont souvent longues, difficiles, coûteuses. Et les Français ne sont pas habitués à jongler assez vite.

Les Japonais, oui. Ils prennent leur parti des changements de priorité du plan chinois. Ils avancent en acceptant tous les risques. Leurs études ne sont pas très profondes mais elles sont très rapides et ils les offrent gratis. Conclusion : c'est leur matériel qui est acheté de préférence puisque dans les trois quarts des cas, on passe commande à la société qui a fourni l'étude.

Il faudrait agir à la manière des Japonais et avec leur dynamisme. En 1976, les sidérurgistes français se sont plaints :

« Les Japonais nous livrent une véritable guerre économique. Ils accaparent progressivement tous les marchés de l'acier dans le monde. Même la Suisse, paradis des exportateurs du Marché commun, est devenue un terrain de choix pour les Nippons. »

Qui circule en Asie, comme je le fais, s'aperçoit très vite que nous ne possédons pas un outil comparable à celui des Japonais ou des Allemands. J'en ai entretenu le Premier ministre, M. Raymond Barre, alors qu'il était ministre du Commerce extérieur. C'était une de ses préoccupations de créer, à l'instar des Japonais, une ou deux grandes compagnies.

Sur le marché mondial, les sociétés d'exportation françaises en sont encore à l'ère de l'artisanat, en comparaison de leurs concurrentes japonaises, les fameuses « trading companies ». Les Nippons ont inventé des structures totalement différentes des nôtres. Les deux ou trois plus grandes banques françaises devraient, à leur tour, grouper autour d'elles une masse d'entreprises et former, chacune, une grande compagnie. Après tout, Colbert nous a montré le chemin dès 1664 avec la Compagnie des Indes occidentales et surtout la Compagnie des Indes orientales. Le système, il est vrai, avait mieux réussi aux Britanniques et aux Néerlandais qu'aux Français. Si l'on s'abstient, si le gouvernement renonce, c'est toute l'industrie moyenne qui sera exclue des marchés extérieurs.

Si l'on a le courage d'entreprendre, il y aura de la place sur les chemins de l'Asie pour les Rastignac du dernier quart de siècle. Quelle que soit l'issue, pacifique ou sanglante, du duel des Rouges.

CHAPITRE 33

Une collection de tambours de bronze

La chute du Viêt-nam entraîne celle du Cambodge et celle du Laos.

Du temps du général Lon Nol, j'ai toujours pensé qu'il n'était pas utile d'aller au Cambodge. Une conversation avec le dictateur sur quelque sujet que ce soit ne présentait aucun intérêt. Je n'ai donc pas de témoignage personnel. Dans le duel des Rouges qui nous occupe, il faut noter que ce domino appartient aux Chinois.

Partout Moscou est mieux placé que Pékin en ce qui concerne l'aide économique. Il a plus de moyens. Mais au Cambodge le danger était si proche, si immédiat, que les Chinois ont donné des sommes considérables aux Khmers rouges. Ne serait-ce que pour trouver leur nourriture. Il était indispensable de faire le vide de Soviétiques.

Le Laos, en revanche, m'est familier. J'y faisais escale en allant à Hanoï. Je connais

Souvana Phouma qui était le Premier ministre et j'ai été amené à voir le roi.

Le palais est à Luang Prabang, une des villes d'Asie les plus ravissantes, entre les collines. Cauchemar des pilotes, car il suffit d'un peu de brume, même de chaleur, pour rendre l'atterrissage périlleux. Mais la ville est si belle, avec des temples parmi les plus réussis de l'Asie.

Le roi est très attaché à la terre et il vit dans son palais, une grande maison avec un cérémonial un peu désuet : le coup du parasol, lorsqu'on descend de voiture, pour monter les quatre marches.

Cultivé, ayant fait son droit à Paris, dominant le sujet, le souverain est le type même du sage asiatique.

« La Chine reste la mère de l'Asie, me dit-il. Les choses seront telles qu'on reviendra fatalement vers la Chine. »

Il brosse une large fresque de l'évolution de l'Asie et conclut :

— Inexorablement, la Russie sera écartée et la Chine redeviendra la grande puissance de notre continent.

Sans transition, il me demande si le Bouddha Prabang, fameux dans toute l'Asie, m'intéresse. Et il me mène le voir. Au retour, il me montre sa collection de tambours de bronze qui est la plus belle du monde. Il y a plusieurs centaines de pièces. Nous passons devant une vitrine qui regorge de poignards ciselés. Le vieux roi s'arrête, le sourcil levé :

« Il en manque un. »

Comment a-t-il pu s'en rendre compte ? Il y en a tant. Effectivement, un poignard a été envoyé en réparation.

Il est le cousin du prince Sihanouk, son voisin cambodgien. Et il raconte quelques anecdotes en soulignant « C'est mon cousin », ce qui lui permet de décocher un trait nouveau. Son œil brille et a l'air de dire : s'il m'avait écouté, il aurait moins d'ennuis. Eh bien, mon Dieu ! ça lui fera les pieds.

Qu'est-ce que tout cela est devenu maintenant ?

Je n'en sais fichtrement rien.

Les Russes sont là. Au point qu'un ancien ministre thaïlandais des Affaires étrangères, M. Thanat Khoman, a pu affirmer le 27 décembre 1976 que Moscou avait construit des silos pour fusées dans les montagnes laotiennes. Des fusées dont l'objectif pourrait être la Thaïlande ou la Chine.

CHAPITRE 34

Le buffle sauvage rouge et le bon révolutionnaire

Le pays le plus menacé de l'Asie du Sud-Est, le champ de bataille potentiel n° 1, est la Thaïlande. Depuis octobre 1973, le processus révolutionnaire est engagé et ses répercussions seront considérables pour l'avenir du continent.

La Thaïlande a des frontières communes avec la Birmanie, le Laos, l'Inde, la Malaisie, le Cambodge. A vol d'oiseau, la Chine est à moins de 200 kilomètres. Sur toutes ces frontières, des mouvements de dissidence existent, plus ou moins communistes. Pays clé, la Thaïlande peut devenir le point de jonction entre la révolution indochinoise et un courant révolutionnaire dans le sous-continent indien.

Bangkok, la capitale, est souvent pour les Européens le premier contact avec l'Asie. Le dépaysement est fantastique. C'est dommage. Car cette ville qui fut belle a été défigurée. Tous les petits canaux ont été recouverts de dalles de béton. On a construit n'importe quoi, n'importe comment, n'importe où. Il n'y a pas d'égouts. Lorsque la mousson tombe à verse, l'eau monte jusqu'aux genoux des passants.

Les six temples de Bangkok dont on régale les touristes sont très inférieurs à ceux de Corée du Sud ou de Louang Prabang. La plaie de Bangkok, c'est justement les touristes : un million par an. Avec, en prime, l'exploitation du sexe à un degré insupportable, impossible de flâner ou simplement de marcher dans la rue sans qu'un démarcheur vous accoste et vous présente un dépliant sous plastique, où l'on propose, dans toutes les langues, tout ce que l'on peut proposer de 7 à 77 ans. Il n'y a que ça. Très vite, on est excédé. Bangkok n'a pas le caractère bon enfant des autres villes d'Asie.

Lors de mes voyages, j'ai vu tous les ministres sauf le roi. C'était avant le coup d'État de l'automne 1976. J'avais chaque fois la désagréable impression que l'homme en face de moi n'était pas ministre trois mois auparavant et qu'il ne serait peut-être plus ministre trois semaines plus tard. Dans une telle situation, de quoi peut-on parler ? Les étrangers devaient éprouver la même impression en France sous la IVe République. J'ai donc eu des conversations purement économiques. Mais les investissements seraient bien hasardeux.

Le pays semble condamné à une alternance au pouvoir d'alliances hétéroclites de civils et de cliques militaires. L'Armée, en Thaïlande, est un poisson dans l'eau, participe à l'administration locale, se croit, de droit naturel ou divin, destinée au pouvoir. Il a fallu, en octobre 1973, la révolte d'étudiants et d'ouvriers contre la dictature des maréchaux Prapass et Thanom pour donner le pouvoir aux civils. Ces étudiants et ouvriers avaient patiemment tissé des liens avec la classe paysanne. On se trouve devant une organisation préparée de longue main, qui maintient une ébullition permanente.

En face, l'extrême-droite a monté des groupes terroristes et une milice armée : les « buffles sauvages rouges ». Des dirigeants paysans ont été assassinés et même le secrétaire général du Parti socialiste. Le pouvoir civil, impotent, faisait de l'équilibrisme dans une classe politique éparpillée en 64 partis.

En avril 1976, les élections ont donné l'avantage aux conservateurs. Mais ces élections ont provoqué un débat bien plus capital : l'affrontement des Russes et des Chinois.

A l'aise dans cette diaspora politique, les Soviétiques ont joué sur plusieurs partis politiques. Ils ont promis une aide économique massive. A Pékin, le ministre chinois des Affaires étrangères m'avait fait part de son inquiétude.

Contre-attaquant, les Chinois ont aidé, en sous-main, les partis pro-américains. Mieux vaut encore avoir les Américains que les Russes.

La Thaïlande — le royaume du Siam comme disaient nos grand-pères et les gravures exotiques — est le seul pays qui n'a jamais été ni colonisé ni occupé. Les Chinois corrigent cette affirmation : « Sauf par les Américains qui bombardaient le Viêt-nam à partir de leurs bases de Thaïlande. » Ce qui est exact, la Thaïlande a été le grand porte-avions d'où décollaient les B.52. Mais juridiquement, ce pays n'a jamais été occupé, ni colonisé. Il a été, au temps des empires français, britannique et hollandais, un *no man's land* entre le Cambodge français et la Malaisie britannique. Il a toujours été une terre de repli. Il l'est resté.

Les guérilléros du Laos ou de Malaisie, les bandes de droite ou de gauche, trouvent refuge en Thaïlande. Voilà qui ne renforce pas la stabilité d'un État.

L'automne 1976, le maréchal Thanom, vêtu de la robe safran des bonzes, rentre d'exil. Déguisement pour masquer ses activités politiques. Les étudiants de l'université Thammasat, citadelle de la gauche, se soulèvent et occupent les lieux. Les « buffles sauvages rouges » et la police s'unissent pour donner l'assaut, le mercredi 6 octobre 1976, et exterminer les étudiants révolutionnaires au cours de chasses à l'homme sans pitié. Les militaires retrouvent le pouvoir. Pour combien de temps ?

Les Américains avaient évacué leurs bases.

« Pourquoi partez-vous si vite ? » interrogeaient les Chinois. Le Pentagone a conservé tout de même son plus bel aéroport. Il sert d'escale pour les avions qui se rendent à Diego Garcia, la base aéro-navale que Washington s'est construite ces dernières années juste au centre de l'océan Indien, ce nouveau champ de manœuvres de la stratégie mondiale [1].

1. Le commerce dans l'océan Indien est plus important, au total, que dans l'Atlantique Nord. L'océan Indien est le passage obligé de 75 % du pétrole brut destiné à l'Europe occidentale et de 85 % de celui du Japon. Plus un quart des dérivés du pétrole importés par les États-Unis.

Moscou crée en 1968 une escadre de l'océan Indien. En décembre 1970, Londres et Washington répliquent : ils décident d'installer conjointement une grande base sur Diego Garcia, un atoll de l'archipel des Chagos, possession britannique. Ce sera la Malte de l'océan Indien. Afin d'éviter toute revendication ultérieure, ils expulsent les 200 indigènes de l'île qui est située à 1 600 km au sud de l'Inde. Une station de transmissions et d'écoutes est installée. Une piste de 1 300 mètres est construite. Le port pourra accueillir aussi bien les porte-avions que les sous-marins équipés de fusées Polaris. Diego Garcia devient un point stratégique essentiel en cas de conflit nucléaire.

CHAPITRE 35

Une ville chinoise à la porte de l'océan Indien : Singapour

Les Russes, avant même de tenter d'obtenir le port de Danang au Viêt-nam, ont rêvé de Singapour. Ils peuvent utiliser les installations portuaires pour leurs bateaux marchands, c'est tout.

Au carrefour de l'océan Pacifique et de l'océan Indien, la position stratégique de Singapour est, c'est vrai, incomparable. Mais c'est une ville chinoise. Ses habitants sont les descendants d'immigrés qui dès l'installation des Anglais se sont emparés du commerce et ont submergé les indigènes malais. Aujourd'hui, Singapour est indépendante, c'est une ville-État.

Quel contraste quand on arrive de Tokyo ! D'abord c'est plus petit. Ensuite et surtout, Singapour a été conçue par des Anglais dont le premier souci était l'environnement, bien avant que ce mot fût à la mode. Des arbres aèrent de larges avenues, propres, bien entretenues. De grands immeubles ont été construits mais non pas des tours gigantesques. Le climat est très chaud mais il est agréable de se promener.

Singapour est presque sur l'Équateur. Il n'y a pas de saisons. Le jour se lève toujours à la même heure. La nuit tombe toujours à la même heure. Ce bel ordonnancement est secoué néanmoins par les cyclones de la mousson. Mais tout est climatisé.

Le port est le quatrième du monde. Avec une organisation huilée comme une mécanique. Toute la ville est d'ailleurs rodée comme un moteur pour l'homme qui travaille. Vous arrivez, vous avez besoin de documents, vous les demandez. Une heure plus tard, ils sont là, dans la langue désirée, avec les chiffres, les courbes. Il faut voir l'activité chinoise. Débordante et multiple. Le pouvoir d'achat, *per capita*, est ici le plus haut d'Asie. Quand les Singapouriens tiennent quelqu'un, ils ne le lâchent pas. Ils cherchent le moyen de nouer un contrat ou d'en développer un autre. L'incitation au travail n'est jamais en sommeil.

J'ai rencontré le Premier ministre, M. Lee Kuan Yu. Politiquement, il est socialiste. Du moins comme un Chinois peut l'être. Plus justement, je dirai : M. Lee est chinois.

Très sec d'allure, disert, M. Lee est un chef d'État diaboliquement astucieux, qui dirige sa cité avec une poigne de fer. Il sait que l'intérêt, l'avantage et l'avenir de Singapour sont son avance technologique sur ses voisins. Que la technique malaise parvienne à rattraper celle de Singapour et Singapour choira. Elle est condamnée à avoir dix ans d'avance sur ses voisins.

Le second problème de M. Lee est la Chine.

« Je serai le dernier à aller à Pékin, me dit-il.

— Et pourquoi donc ? Si Pékin ne manifeste aucune envie de vous voir, je comprends que vous soyez le dernier. Mais si Pékin vous invite, je ne vois pas pourquoi vous feriez la sourde oreille. »

Ce dialogue est daté de 1973. M. Lee ne me le dit pas mais il se méfie de Pékin. Singapour est un des rameaux importants de la diaspora chinoise. Un rameau placé dans un système capitaliste à l'état pur. Que Pékin contrôle Singapour, et c'est un autre monde qui s'installe. M. Lee prend garde à tout risque de noyautage.

« Je ne suis pas pressé », répond-il.

Il me reçoit sur une table absolument nue. La présidence du gouvernement est un bâtiment moderne en béton mais recouvert de boiseries. Une impression de richesse se dégage mais non de tape-à-l'œil.

Je me rends compte que Pékin fascine beaucoup d'étudiants chinois de Singapour. La Chine populaire accorde facilement des visas aux habitants de Singapour et les visites de

familles sont fréquentes. Des liens commencent
à s'établir. Les dirigeants seront forcés de se
rencontrer, à moins de prendre des risques.
Qu'une récession survienne, ou même quelques
difficultés économiques ou politiques, et l'appel
de la métropole jouera ! Ce sont tous des
Chinois, avec une même mère-patrie. L'homme
politique ne peut faire abstraction des sentiments.

M. Lee n'a pas été le dernier à se rendre à
Pékin, contrairement à ce qu'il m'avait dit en
1973. Il n'a pas encore établi des liens avec la
Chine populaire mais il a fait le voyage. Façon
de marquer le coup. Avant la mort de Mao, il
était bon, pour lui et pour sa ville, d'avoir fait le
pèlerinage de Pékin.

CHAPITRE 36
Les deux soucis malais

L'appel de la mère patrie se retrouve dans toutes les colonies chinoises de l'Asie du Sud-Est et particulièrement en Malaisie.

Le tiers de la population est chinois et l'équilibre démographique est précaire. Les Malais ont édicté des lois discriminatoires à l'égard des Chinois. Les examens scolaires sont plus difficiles pour les élèves chinois que pour les enfants malais. Les entrepreneurs sont tenus d'engager, dans le personnel d'encadrement, un quota de Malais supérieur à celui des Chinois. Ce sont des lois raciales, il faut bien le dire, et les Chinois se sentent étrangers. Sans compter que les massacres, des pogroms *asian style*, n'ont pas manqué.

Le racisme naît au-delà d'un certain seuil que chacun fixe à sa façon : 7 %, 10 %, 15 %... Personne n'en sait rien et c'est probablement variable, selon les races en contact. Mais 30 % de toute manière, c'est très au-dessus du taux accepté. D'autant plus qu'en Malaisie, comme à Singapour, les jeunes éprouvent souvent une fascination brûlante pour la Chine. Même s'ils n'ont nulle envie d'aller habiter du côté de Chang-Haï ou de Canton. Les dirigeants se méfient.

Est-ce la faute des lois ségrégationnistes ? Des mouvements révolutionnaires chinois existent en Malaisie et ils sont en contact — clandestin, bien sûr — avec Pékin. La Chine rouge ne peut être indifférente à ces groupes qui font doublement partie de la famille. Elle en profite aussi pour peser sur l'Indonésie voisine. « Votre marge de manœuvre est faible, nous sommes là et il faut compter avec nous. » C'est un avertissement permanent. Cette forme de pensée est très asiatique, il faut la connaître.

J'ai vu le Premier ministre Tun Razak. Il est mort depuis lors. La conversation a été d'abord économique mais nous sommes tombés, assez vite, sur l'inévitable conflit sino-soviétique.

C'était à Kuala-Lumpur. La ville est plus aérée encore que Singapour, avec de grandes avenues. L'influence britannique est nette. Les fleurs poussent facilement, il y a de l'eau, de la place, donc des possibilités d'urbanisme. Il n'y a pas de doute, les Anglais savaient construire les villes.

Tun Razak a donc évoqué le duel des Rouges. Avec beaucoup de prudence. Pour souligner que la Malaisie est décidée à rester dans le droit fil du non-alignement.

Et puis un autre souci commençait à poindre. M. Tun Razak m'a demandé :

« Vous qui êtes allé beaucoup au Viêt-nam, pouvez-vous m'en parler ? »

Ce n'était qu'une phrase d'introduction pour ajouter :

« Évidemment, ce repli américain... »

Le thème n'est pas carrément exprimé. Mais je vais le retrouver partout : les Américains ne sont plus crédibles, monsieur...

CHAPITRE 37

Les exécutions se comptent en centaines de mille

Le plus grand pays de l'Asie du Sud-Est est l'Indonésie. Une population de 111 millions d'habitants (soit les Français plus les Allemands), des richesses énormes, du pétrole (le 11ᵉ producteur mondial), des technocrates de haute formation, tous issus des universités américaines. Au point que le monde de l'économie est divisé en clans qui sont les amicales des anciens élèves de Princeton ou de Yale ou de U.W.M. L'esprit colonial qui irait négocier à Djakarta repartirait vite, sa condescendance sous le bras. Quand le ministre occidental d'un département économique rencontre son homologue indonésien (ou philippin), il a en face de lui un interlocuteur aussi avisé que n'importe lequel des ministres des Finances du monde industrialisé. Cette haute culture et ces richesses n'empêchent pas l'Indonésie de se débattre dans de grandes difficultés depuis 1974.

A ma dernière visite, le président de la

République, le général Suharto, n'était pas là.
Mais j'ai vu de nombreux ministres et le gouverneur de la Banque centrale. Au ministre de l'Économie, je demande :

« Dormez-vous bien ?

— Oui, pourquoi ?

— Ne faites-vous jamais de cauchemars ? Et si
vous en faites un, quel nom lui donnez-vous ? »

Il sourit. Il a compris et il répond :

« Oui, si je fais un cauchemar, il se nomme
Pertamina. »

Ce dialogue n'est nullement codé. Pertamina
est la société indonésienne des pétroles, pivot de
l'économie nationale, qui était dirigée par le
lieutenant-général Ibnu Sutowo.

J'ai aussi rencontré cet officier dynamique et
indépendant, qui s'était imposé malgré l'obstruction des grandes compagnies internationales. Grâce à la hausse du prix du brut qui
enflamma l'esprit de tous les pétroliers, il se
lança dans une série d'entreprises ambitieuses :
un complexe sidérurgique à Java de 10 milliards
de Francs ; une compagnie aérienne ; des chaînes
d'hôtels ; un programme d'habitat, etc. Et il
passa commande pour 25 superpétroliers.

Il suffit de la récession pour démolir ce beau
château de sable. Le général Ibnu Sutowo s'est
trouvé en cessation de paiements et un premier
examen des comptes a fait apparaître 50 milliards de dettes. En francs lourds. Le gouver-

nement indonésien a décidé de renflouer Pertamina. Avec quoi ? Il a dû lancer un S.O.S. au
monde international de la finance. Qui a répondu ? Les Japonais et les Américains. Washington, si replié qu'il fût, si peu crédible qu'il fût,
est toujours présent dans le domaine de l'économie. Et de la politique : les États-Unis ont
doublé en 1975 leurs crédits militaires.

L'année 1979 sera particulièrement dure pour
l'Indonésie. Son emprunt auprès des
Américanos-Nippons lui fournira 10 milliards
100 millions de francs mais elle devra en rem-
bourser 9 milliards et demi. Elle devra faire face à
toutes ses dépenses avec seulement 600 millions
de francs. Il n'empêche. Le pays est un marché
exceptionnel, une source de matières premières,
un débouché pour les produits manufacturés.
Le pouvoir d'achat est encore très bas, le décollage sera lent, mais les nations industrielles, que
ce soit l'U.R.S.S. ou l'Occident, ont intérêt à y
porter leur semence.

Dans le conflit sino-soviétique, l'Indonésie
veut conserver l'équidistance : pas de bases militaires aux Chinois, pas de bases aux Russes. On
peut ajouter d'ailleurs : pas de bases aux Américains. La vague du non-alignement a atteint
aussi le rivage indonésien. « Liberté garder »
pourrait être la devise de l'Asie du Sud-Est.

Le problème permanent est avant tout l'attitude à l'égard de la Chine. Le président Suharto

est le seul chef d'État de la région à n'avoir pas fait le voyage de Pékin. Il ira sûrement, mais comment faire oublier les massacres de septembre ? En 1965, les communistes mis à mort par le nouveau dictateur du pays étaient si nombreux qu'il est impossible d'avancer un chiffre sûr. On estime qu'il y a eu 350 à 450 000 exécutions. Peut-être plus.

Car le régime du président Suharto est, sinon policier, du moins autoritaire. Très autoritaire. Il semble difficile pour un Occidental de considérer qu'un certain autoritarisme n'est pas mauvais. Et pourtant, certaines étapes historiques, certaines situations sociales nécessitent l'autorité. De même que d'autres sécrètent le paternalisme. Faute de quoi, la vie en collectivité devient impossible. On était attaqué, détroussé en Indonésie jusqu'au jour où l'ordre a été rétabli.

Cela étant, l'Indonésie, ce sont des îles, encore des îles, toujours des îles. Comment surveiller un tel archipel ? C'est incontrôlable. Mais le problème nᵒ 1 du pays, aujourd'hui, est moins la sécurité que la corruption. Nous allons le voir.

CHAPITRE 38

Pompon Bagousse Parasol ou ceux qui tirent les nattes des filles et ceux qui ne les tirent pas

La femme du président de l'Indonésie se nomme Mme Tien Suharto. Les hommes d'affaires américains l'ont surnommée, au début du règne de son mari, Mme Tien Per Cent. Avec l'inflation, elle est devenue Mme Vingt Pour Cent et, aujourd'hui, il faudrait la baptiser Cinquante-Cinquante.

Le président lui-même, Bapak Suharto — c'est-à-dire Papa Suharto —, est contraint de publier des démentis pour blanchir sa famille et sa femme. Une lettre signée des chefs de toutes les Églises et d'un père-fondateur de la République a dénoncé la décadence morale du pays. Il faut acheter 50 signatures pour obtenir la permission d'importer une pièce détachée et il faut en acheter 36 autres pour la sortir du port quand elle est arrivée à quai.

Une simple visite de la ville confirme ces mœurs de Bas-Empire. Djakarta n'est pas une ville séduisante. Le climat est dur. Il y a peu de

verdure. Il n'y a pas un seul beau temple. La cité
est très étendue sur un seul niveau. Le quartier le
plus agréable est un souvenir des Hollandais
avec des maisons dans le style d'Amsterdam et
une partie du port est ravissante avec de très
grands voiliers prêts à prendre le large. Le reste
est laid et cependant pittoresque.

Les curiosités ne manquent pas. Un gigantesque Luna-Park, par exemple. J'y découvre
un fronton de pelote basque dans une salle
totalement climatisée. Des équipes jouent. Et
comme on joue beaucoup, il y a des cadrans
grands comme des façades de cathédrales sur
lesquels apparaissent les scores. On parie. Il y a
des équipes locales jouant contre des équipes
étrangères.

A côté, les hôtels pour Japonais avec bains et
massages. Les vacanciers japonais adorent les
massages... Dans ce grand parc, des bals, des
jeux et des centaines de belles de nuit. Ces
mercenaires de l'amour accostent le promeneur
avec ces mots cabalistiques : « Pompon Bagousse Parasol. » L'explication n'est pas loin : la
plage — car le parc est au bord de la mer — est
piquetée de parasols qui abritent, ou plutôt sont
censés abriter, les ébats tarifés. Ce n'est pas
Luna-Park qu'il faudrait dire mais lupanar. Si le
« Pompon Bagousse » n'est pas « parasol », l'entretien a lieu dans une voiture. Et le promeneur
assiste au spectacle, imprévu ou non, des jambes

de filles qui sortent, par paires, des portières.

En Indonésie, les Chinois sont beaucoup moins nombreux qu'en Malaisie. Djakarta possède néanmoins son quartier chinois où je retrouve des images connues. Une grande salle, des tables, des chaises. Les spectateurs reçoivent contre une somme insignifiante une feuille de loto avec des cases et des numéros. Sur une tribune, un orchestre joue et un artiste interprète à toute vitesse une chanson dont les paroles contiennent ici et là des chiffres ou des nombres. Les assistants qui sont braqués sur leur feuille cochent d'un geste sec. Le premier qui a rempli sa fiche a gagné, comme au loto. La chanson est chinoise. Si vous ne parlez pas la langue vous êtes hors-jeu.

La nuit, Djakarta a ses quartiers de travestis qui ont dupé — très involontairement — bien des marins français. Ceux de la *Jeanne* ont provoqué naguère quelques incidents. Ils s'étaient rendu compte à la dernière seconde de leur méprise et ont boxé les travestis qui n'y comprenaient rien. Cette forme de vénalité est courante à Djakarta, à Singapour, à Bangkok. Courante, acceptée et reconnue.

Cette licence contraste avec l'austérité des villes communistes. Le caractère bon enfant, la simplicité, le bruit, le chahut même, la lumière disparaissent dès que s'installe un régime communiste.

Je roule à bicyclette dans une rue d'Hanoï. Le petit agent qui règle la circulation au carrefour a levé le bras. Je suis au milieu de 300 vélos qui attendent. Si une fille est à côté de moi, surtout que je ne me risque pas à lui faire un clin d'œil. Depuis la réunification, les choses commencent à changer. Aujourd'hui, elle fera un petit sourire mais pas question d'entamer une conversation. Au contraire, dans une ville non socialiste, les garçons tirent les nattes des filles, rient, plaisantent. L'atmosphère est très gaie.

CHAPITRE 39

Le président Marcos, le colonel Kadhafi, Mme Marcos et le pape

A Manille, le ministre des Affaires étrangères, M. Carlos Romulo, me dit :

« Naguère, lorsque je recevais quelqu'un, la porte s'ouvrait et quinze gaillards entraient. Ils s'installaient partout, écoutaient ce que je disais, me coupaient la parole. Ils étaient là, armés. Ils n'avaient rien à faire. Heureusement, cette époque est terminée. Nous avons institué la loi martiale. A cet égard, ce fut un grand succès. »

Curieuses Philippines où tout homme important devait montrer sa puissance en se constituant une garde de 300 ou 400 mercenaires armés jusqu'aux dents. Armée personnelle ou gang, le qualificatif est au choix de l'observateur ou du lecteur.

Curieuses Philippines où l'influence espagnole survit dans l'arc d'une église et où l'influence américaine rayonne dans la langue et les affaires et s'enracine grâce à des technocrates —

les meilleurs de l'Asie du Sud-Est — formés aux États-Unis.

Curieuses Philippines où la religion catholique couvre officiellement 96 % de la population, où les églises pullulent et sont combles de fidèles mais où la superstition l'emporte dès qu'on y regarde d'un peu près.

Le président de la République, M. Ferdinand Marcos, me convoque à son palais. Et il convoque en même temps tout le gouvernement. Il est assis à son bureau et, derrière lui, tous les ministres sont en rangs d'oignons. C'est la seule fois que cela m'est arrivé. Nous sommes en 1974.

D'emblée, le chef de l'État attaque sur sa préoccupation majeure : l'influence chinoise.

« Il va me falloir aller en Chine dans quelques mois. »

Le conflit sino-soviétique n'est pas exposé comme une hantise mais comme un problème qui les frappe de plein fouet. Contrairement aux Chinois, le président Marcos ne lance aucune affirmation du genre : « Vous, Européens, vous êtes aussi concernés. » Mais devant cet affrontement de géants, il répète comme les autres chefs d'État de l'Asie du Sud-Est :

« Nous devons nous placer dans le non-alignement le plus total. »

A la visite à Pékin en juin 1975 succède la visite à Moscou en mai 1976. La priorité a été donnée à la

Chine. Pour illustrer cette thèse nouvelle, le président Marcos a annoncé son intention de modifier le statut des bases américaines. Et il a poursuivi le processus en cherchant une solution honorable au conflit qui oppose, dans l'île de Mindanao, les Philippins musulmans au pouvoir central de Manille. Le monde musulman et le colonel Moamar el Kadhafi en particulier ne pouvaient rester insensibles devant ce conflit qui risquait d'empoisonner par surcroît les relations du gouvernement philippin avec la Malaisie et les pays arabes.

« C'est un problème très irritant, au vrai sens du mot », m'a dit à ce sujet M. Marcos.

Le président a envoyé sa femme à Pékin. Et puis il y est allé lui-même. Beaucoup plus vite qu'il ne le pensait lorsque je l'ai rencontré.

Son émissaire, Mme Marcos, est une femme éblouissante de beauté, qui a une influence énorme dans le régime. Elle est gouverneur du Grand Manille, ce qui correspond à maire de Paris. Et elle est l'ambassadeur itinérant de son mari.

Au cours de l'hiver 1976, elle est passée à Paris où elle a déjeuné à l'Élysée avec M. Valéry Giscard d'Estaing. Le soir, nous avons dîné dans un restaurant parisien et elle m'a raconté ses voyages.

« Je connais à peu près le monde entier, a-t-elle conclu.

— Et maintenant, vous allez où ?

— Je pars cette nuit même pour Rome. »

Je lui dis en plaisantant :

« Et demain matin, vous prendrez évidemment votre petit déjeuner avec le pape. »

Très sérieusement, elle me dévisage :

« Parfaitement. Le pape ne m'offrira sans doute pas le petit déjeuner mais il me recevra à l'heure du petit déjeuner. »

CHAPITRE 40

Le « Drapeau blanc »
en sentinelle sur la frontière

Exégèse ou exorcisme, la Birmanie, qui a 3 000 kilomètres de frontière commune avec la Chine, se veut un pays retranché du monde.

Le général Ne-Win qui préside les Birmans, m'a très longuement expliqué pourquoi. C'était en 1976.

« Mon pays peut vous paraître moyenâgeux, m'a-t-il dit, et c'est vrai qu'il l'est. Vous avez visité la Thaïlande, vous connaissez Bangkok. Je préfère conserver à ce pays son identité, son authenticité, et éviter le sort de la Thaïlande avec tous ses dangers. »

En Birmanie, tout le monde est en costume national, femmes, enfants. Le peuple, bouddhiste, est très religieux. Le soir, dans les pagodes, les enfants eux-mêmes s'appliquent à garder l'attitude de Bouddha. Je me souviens d'un marmot que j'ai observé pendant une demi-heure dans la magnifique pagode Schwedagon de Rangoon. Les jambes en tailleur, il se tenait dans une immobilité de marbre. Il avait quatre ans tout au plus. Les fidèles prient à haute voix, sans aucunement se soucier des passants et des badauds.

Mais le site le plus beau de Birmanie est Pagan qui est une des merveilles du monde. Quatre mille pagodes qui émaillent la plaine immense, et dans le lointain un fleuve dévale du Tibet : l'Irrawadi.

Il faut monter sur la pagode la plus haute et s'y trouver à 17h15, car la nuit tombe toujours à la même heure. A 17h30, le soleil se couche et embrase les quatre mille pagodes, avec ce fleuve énorme. Pas un touriste, personne, personne. On est seul. Qui a vu Pagan une fois dans sa vie ne l'oublie jamais.

Rangoon a un visage frais et plein de charme, de grandes avenues, des lacs, de la verdure. Une seule construction dépare l'ensemble, un hôtel de style monumental stalinien, édifié par les Russes et gigantesquement sinistre. Pour ne pas être pris du vertige de la solitude dans la salle à manger, il faudrait être mille ou mille cinq cents déjeuneurs.

Les Russes, comme en Indonésie, comme aux Philippines, comme au Japon, tentent de s'accrocher par le biais de ce que l'on nomme les aides économiques. Ce sont des opérations à court terme.

Dès que l'influence russe cherche à se développer, le parti communiste birman, installé en Chine de l'autre côté des 3 000 kilomètres de la frontière birmano-chinoise, réapparaît. Curieusement, ce parti porte le nom de « Drapeau blanc ». Et le « Drapeau blanc » est là pour rappeler que, quoi qu'il arrive, la Chine est attentive.

Le général Ne-Win maintient une politique d'indépendance, hors de toute alliance. Mon sentiment est que, dans une ou deux décennies, la région sera intégralement dans la mouvance chinoise, et même au sein de la suzeraineté chinoise.

CHAPITRE 41

Les Chinois tentent d'acculer les Russes

L'Asie court-elle à la guerre ? La mort de Mao Tsé-toung a-t-elle bouleversé l'équilibre asiatique ?

Prenons l'écoute des chefs d'État de la région. A Singapour, M. Lee Kuan Yu, socialiste catégoriquement anticommuniste, a encensé le président chinois dès qu'il a appris son trépas :

« Mao était un des géants de ce siècle, il a transformé la Chine et, ce faisant, le cours des événements en Asie et dans le monde. »

Mais au même instant, il lançait à sa police cet ordre révélateur : Surveiller encore de plus près tous les groupes communistes.

La population, on l'a vu, est presque exclusivement chinoise. Passons maintenant en Indonésie. Le seul pays dont le président n'ait pas fait acte de vassalité auprès de Mao Tsé-toung. Les Indonésiens aussi ont dressé un autel funèbre au chef chinois :

« En tant qu'Asiatiques, nous devons faire

montre de respect à l'égard du disparu. En tant qu'Indonésiens, nous devons faire abstraction des considérations idéologiques et montrer aussi un respect qui s'impose. »

Puis M. Adam Malik, le ministre des Affaires étrangères, a ajouté qu'en raison de la rigidité du système communiste en Chine, la mort de Mao ne déclencherait pas, à son avis, de grands bouleversements politiques. Il pensait au moins autant à des troubles internationaux qu'à des désordres internes. Moralité : selon lui, la mort de Mao ne changera pas grand-chose. La Chine restera dans le même axe.

La confrontation, néanmoins, crée l'instabilité. Un enfant de cinq ans, tiraillé entre son père et sa mère, est dans une situation instable. Les pays de l'Asie du Sud-Est sont tous des pays moyens à l'exception de l'Indonésie. Une nation est toujours dépendante d'un ensemble géographique et d'un système politique, et pour eux, plus que pour quiconque, l'autarcie n'a de signification. Personne ne peut envisager une vie autonome. La péninsule du Sud-Est de l'Asie est donc tiraillée entre les deux Rouges, la Russie qui se prétend une grande puissance de la région et la Chine qui, elle, l'est incontestablement.

Il se trouve que beaucoup de ces pays ont été soumis à une influence communiste. Pékin va forcer leurs gouvernements à compter avec la

Chine, quoi qu'il arrive. A adopter comme fondement n° 1 de leur politique, ce principe : l'appui naturel, c'est la Chine.

Pékin naguère n'agissait pas tellement à travers les Chinois d'outre-mer. Je pense que, désormais, il va peser beaucoup plus sur cette diaspora afin d'étendre, le plus rapidement possible, sa suzeraineté.

Les Chinois tenteront d'acculer les Russes afin de les contraindre à réagir. Afin de convaincre tous les pays d'Asie qu'ils doivent se grouper autour de « la » grande puissance asiatique, la Chine. Ils reprennent à leur compte le rêve soviétique d'il y a trente ans. A ceci près : cette grande puissance asiatique n'a plus Moscou pour capitale.

Y a-t-il un risque de voir, à la faveur du duel, un de ces pays tomber dans l'orbite soviétique ? Je ne le crois pas. Une vassalité à l'égard de Moscou ne trouverait sa raison que dans un besoin de protection militaire. Il faudrait supposer l'occupation militaire d'un pays quelconque d'Asie. Ou une menace d'occupation militaire. Ce n'est pas le cas.

L'exemple de l'Inde est significatif. L'influence soviétique y est assez disparate. L'océan Indien, cet arrière-pays de la Chine, est devenu pour Moscou un champ-de-mars maritime où ses navires de guerre font la parade, les fusées braquées sur le cœur de la Chine. L'océan boucle le fameux encerclement de la Chine dessiné par le pacte Brejnev de sécurité collective. Depuis le milieu des années 60, les Chinois sont installés à Zanzibar et sur la côte tanzanienne. Et au Yémen du sud. Ils construisent routes et chemins de fer. Mais l'implantation en Tanzanie a un objectif directement stratégique : contrôler, lors des essais à venir, la chute de fusées intercontinentales tirées du Sin-kiang.

Sitôt les Chinois sur place, la flotte russe est arrivée. Le port d'attache le plus proche est Vladivostok, bloqué l'hiver, ou Mourmansk, dans le Grand Nord, à la frontière norvégienne. Autant dire que c'est une flotte de haute mer sans port d'attache. Des navires-ateliers ont été acheminés pour les réparations sur place, un dock flottant et un slip ont été installés à Aden pour les petits navires, de véritables stations-radio flottantes ont été adjointes. Les équipages sont relevés par rotations aériennes. Des points de relâche ont été cherchés partout avec plus ou moins de succès, à l'île Maurice, à Trincomali (Ceylan ou Sri Lanka), à Oum Qasr (Irak), à Vishakhapatnan (Inde). Une base a même été installée à Berbera (Somalie).

L'Inde, donc, était de première importance dans le dispositif soviétique. L'aide militaire a été massive pendant la guerre du Bangla Desh. Et pourtant, Mme Indira Gandhi a refusé de signer le pacte Brejnev de sécurité collective.

Elle a refusé d'accorder des bases militaires.

La façon dont l'Inde pose le problème éclaire l'ensemble. Sa thèse est le non-alignement. Mais les deux compétiteurs rouges ont porté leur conflit jusqu'au sein des pays non alignés.

CHAPITRE 42

L'erreur de l'Occident

Nous, Occidentaux, nous nous croyons tellement supérieurs ! La race blanche a été à l'origine d'un certain nombre de découvertes, elle s'est répandue sur le globe, elle a imposé ses produits et même ses idées, au besoin par la force. Alors nous baignons dans un état d'esprit nationaliste un peu ridicule. On le voit bien avec le mouvement des pays non alignés.

A chaque conférence de ces pays, et encore à Colombo en août 1976, la presse occidentale et les déclarations officielles ont mis l'accent sur les dissensions. Elles ont minimisé les motions votées, les propos tenus, en faisant accroire qu'il s'agissait de discours creux.

J'estime que c'est une erreur. Tout mouvement subit ses maladies infantiles, celui-ci les surmontera. La Chine et l'U.R.S.S. ne s'y trompent pas. Les non-alignés, en dépit de leurs divisions et de leurs faiblesses, constituent un champ de confrontation essentiel entre les deux formes de marxisme.

Les pays non alignés représentent un milliard et demi d'hommes. Pour échapper aux jeux des trois Grands — car les États-Unis sont tout de même présents, ne serait-ce que par leur poids économique —, la plupart des pays du tiers-monde n'ont qu'un moyen : affirmer leur indépendance au sein du mouvement des non-alignés créé dans les années 50 par Nehru, Tito et Nasser. Ils sont aujourd'hui une centaine [1].

Il se trouve que le tiers-monde est assez réceptif au marxisme, ce qui devrait retenir notre attention car le marxisme, dans un premier temps, propose des schémas efficaces. La chance, pour nous, est que, dans un second temps, ces pays reviennent aux sources, c'est-à-dire tentent de réaliser un socialisme national — pas du nazisme, un véritable socialisme national. Ils ne veulent donc pas basculer dans l'un ou l'autre des camps communistes.

1. L'U.R.S.S., du temps de Staline, considérait les neutralistes, et l'Indien Nehru au premier chef, comme des réactionnaires. La stratégie de la coexistence pacifique se substituant à celle de la guerre froide, la tactique soviétique vira à 180°. Le critère devint l'anti-impérialisme, et Moscou se mit en tête d'aider les pays à secouer leurs liens économiques avec les grandes puissances capitalistes. Moyen classique : l'assistance sélective. Dans le dessein de favoriser l'éclosion d'un prolétariat industriel, l'U.R.S.S. finança les complexes sidérurgiques de Hélouan en Égypte et Bhilai en Inde. Ailleurs elle aida les pays décidés à réaliser une réforme agraire ou à promouvoir un secteur d'État.

L'erreur des gouvernements occidentaux est de croire que nos relations avec le tiers-monde peuvent se régler à coups d'aides. Il faut au contraire embrasser beaucoup plus de problèmes, les analyser plus profondément. Il faut considérer qu'un pays, même petit, même pauvre, peut avoir une grande influence. Les grandes révolutions sociales, économiques, religieuses ont été le fait de petits noyaux. Les petits noyaux des révolutions de demain se trouvent probablement dans le tiers-monde et chez les non-alignés.

On peut objecter que l'Inde ou l'Égypte ne se sont pas toujours conduites en non-alignées. Confrontées au Pakistan ou à Israël, elles ont fait appel à l'U.R.S.S. Je réponds que si elles n'avaient pas été non alignées, les Soviets auraient pu, en échange de l'aide, s'imposer beaucoup plus. Tandis qu'à chaque tentative d'avancée de la part de Moscou, elles se servaient du non-alignement : « Nous ne pouvons pas aller trop loin. »

Et le président Anouar El Sadate a même pu, sans aucun mal, expulser en juillet 1972 les 18 000 conseillers soviétiques qui étayaient son armée.

En Inde, l'aide soviétique a surtout la forme d'investissements ou d'installations d'usines clés en main. La Chine ne pouvait pas suivre. Mais, après des années de guerre froide et même de guerre des frontières, elle a fait un effort de rapprochement. Afin de ne pas laisser le champ libre à Moscou. Les Chinois feront des sacrifices dans le règlement de leur contentieux avec l'Inde afin que la Nouvelle-Delhi ne devienne jamais une chasse gardée des Russes.

Le conflit entre les Grands est une chance pour les non-alignés qui jouent l'un contre l'autre. Ils ont, bien sûr, la hantise d'être un enjeu et c'est justement la raison d'être du non-engagé. Mais ils peuvent bénéficier des faveurs de l'un et de l'autre.

Un partage du tiers-monde en zones d'influence mettrait fin à cette situation. En théorie. Car l'heure est à la rivalité et elle le demeurera encore un temps.

CHAPITRE 43

Comment l'Europe
peut naviguer
à moindre péril

Que peut faire la France, que peut faire l'Europe face au conflit sino-soviétique ? Notre pays présente un intérêt pour les Chinois, qui n'est ni culturel ni économique mais qui réside dans notre capacité à résister au projet soviétique.

« Vous, Européens, êtes en péril de mort en raison de votre proximité de la Russie, de vos faiblesses internes, de vos divisions. Qu'attendez-vous pour vous unir et opposer un même front à ce bloc soviétique qui, lui, s'équipe et s'arme ? »

Ces mises en garde des dirigeants de la Cité interdite s'accompagnent de recommandations. Ils ne cessent de nous pousser à développer le Marché commun, à renforcer l'armée atlantique, à nous épauler mutuellement entre Européens contre l'U.R.S.S. Pékin voit dans la France un pion que l'on peut manœuvrer sur l'échiquier européen ou au sein de l'alliance atlantique pour faire le travail que souhaitent les héritiers de l'Empire du Milieu.

Et voici le danger : si l'on estime que les Chinois ont raison, l'on peut en déduire qu'il faut faire cause commune avec eux. Or, personne ne sait si la tension idéologique ne va pas s'estomper pour des raisons économiques, par exemple. La prise du pouvoir par un Khrouchtchev chinois nous tirerait brutalement d'un rêve trop rose. Pour avoir marché, tête baissée, nous aurions bonne mine. Nous serions trahis de tous les côtés.

Et puis, même sans retournement chinois, la France doit tenir compte du monde tel qu'il est : la Russie est, géographiquement, notre voisine. Sa présence économique et militaire en Europe est foisonnante. Moscou, de surcroît, exerce une influence en France à travers le parti communiste malgré les affirmations de son secrétaire général, M. Georges Marchais. Que la crise économique qui tenaille le monde occidental engendre une crise sociale en France, en Italie, en Espagne, au Portugal, et les Russes joueront un rôle par le truchement des P.C.

Nous devons défendre nos propres positions. Nous devons rejoindre les Américains, qui ont des moyens autrement plus imposants que les nôtres, dans une politique de sagesse.

Washington s'est plongé depuis 1976 dans un bain de puritanisme. Excessif d'ailleurs : il a été reproché à l'ancien président Gerald Ford d'avoir accepté, de trois sociétés, des invitations à jouer au golf. Mais ce puritanisme est un repli sur soi-même, le retour d'un isolationnisme dont le désir est toujours latent aux États-Unis. Les Américains, dans le conflit sino-soviétique, cèdent à une sorte de non-alignement. Comme la plupart des nations du tiers-monde, ils se placent à l'équidistance. On passe un accord avec l'un, on passe un accord avec l'autre. Entre les deux colosses — colosses à des titres différents — ils se placent au milieu.

Première puissance économique du monde, les États-Unis n'ont plus pour l'instant de grand dessein. A la suite des États-Unis, le monde occidental n'a plus de grand dessein. Au fond, nous n'avons plus qu'une économie.

Face à un conflit de cette taille, un pays isolé, la France pour l'appeler par son nom, n'aura jamais les moyens de peser dans un sens ou dans l'autre. La France n'aura même pas les moyens d'arbitrer ou seulement de proposer ses bons offices. Nous devons prendre conscience de notre faiblesse. Et nous décider à une double concertation : avec les autres Européens ; avec les non-alignés. Afin de naviguer à moindre péril.

Cette force qui nous fait défaut se trouve chez les non-alignés dont Russes et Chinois se disputent les grâces. Pour des raisons opposées d'ailleurs. Bien sûr, on se heurte avec les pays du tiers-monde au problème de l'aide économique. Entre eux, ils peuvent s'en tenir au débat idéologique. Mais qu'une puissance riche frappe à leur porte, ils ne veulent entendre que le langage économique, c'est-à-dire de l'assistance financière. Les aides et les dons accordés à une organisation s'engloutissent et l'on n'en voit jamais les effets. Finalement, on octroie des crédits sans illusion afin d'éviter l'accusation de ne rien donner.

Les seules aides fructueuses sont bilatérales. Les réalisations sont concrètes et connues. Mais l'aide bilatérale n'est pas possible avec n'importe qui. Aucun pays riche ne se penchera sur un pays pauvre qui ne présente pas d'intérêt stratégique ou économique. Il faut donc poser le problème au niveau des continents : si nous avons l'intention de travailler avec un ensemble de pays du tiers-monde, nous y parviendrons plus aisément par l'intermédiaire d'une organisation européenne puissante.

La nécessité de construire l'Europe est le point essentiel de la politique française des années qui viennent. Ou l'on édifie l'Europe, ou le destin de notre continent touche à sa fin.

Tout le monde dit : « Vive l'Europe ! Allons-y ! » Tout le monde dit : « Fabriquons l'Europe politique en laissant aux patries la libre disposition de leur destin. » Les gaullistes ont toujours défendu l'Europe des patries contre l'Europe supranationale. Ils se sont toujours opposés à la création d'une armée commune.

Je me sépare ici en partie de la thèse gaulliste classique. L'évolution du monde est considérable depuis le début des années 50 où la question d'une Communauté européenne de défense (C.E.D.) s'est posée. Eh bien, je crois qu'aujourd'hui, il faudrait faire la C.E.D.

Toutes les dimensions de ce vieux problème sont aujourd'hui différentes. L'atome a bouleversé l'art militaire. Quel rapport y a-t-il entre la bombe atomique du lendemain de la guerre mondiale et l'arsenal sophistiqué des fusées intercontinentales à têtes multiples ?

La technologie et la science ont été prises de délire. Même la procréation est aujourd'hui modifiée par les effets de la pilule.

En économie, tout atteint désormais une autre échelle. Les transports, les habitudes, les méthodes, la consommation effrénée, le gaspillage, tout est nouveau.

La politique, synthèse des contradictions humaines et rendez-vous de tous les mouvements, doit également être mesurée à une autre toise. L'émergence de l'Asie et de ses multitudes a déstabilisé les vieux équilibres. La France qui représentait un Empire, la moitié de l'Afrique, un bout de l'Asie, s'est recroquevillée sur son hexagone métropolitain. La Grande-Bretagne qui régnait sur les mers et commandait dans les cinq continents goûte l'amertume des solitudes insulaires.

Français et Anglais, la dimension, nous l'avions, nous ne l'avons plus. Le sort du monde est lié à des considérations démographiques. Nous ne pouvons demeurer au niveau de 50 millions. Avoir une armée nationale ? Cela n'a pas plus de signification que vivre en autarcie. Avoir une économie nationale ? Même les Allemands dépendent des colosses. Nous devons désormais nous placer au niveau d'une entité démographique exprimant au moins 250 millions d'âmes.

Je vais faire hurler certains de mes plus vieux amis dans le gaullisme, mais je suis persuadé que si l'on ne crée pas l'Europe — avec son armée — nous végéterons. La doctrine de la France seule que défendait Charles Maurras aboutit en 1977 à l'alignement sur les États-Unis.

Nous n'aurons plus de raisons d'empêcher Washington de prendre la direction du puzzle européen. Les exigences naissent des besoins et il sera vital pour les Américains d'étayer leurs positions en Europe et d'affirmer clairement leur volonté. Sans discussion. Car ils n'auront pas d'interlocuteur. Les fanatiques de l'Europe à tout prix, comme M. Jean Lecanuet, ne guer-

royaient finalement que pour nous placer dans
le cortège des États-Unis.

C'est pour un motif contraire, c'est pour
éviter ce sillage des colosses, américain ou russe,
que je réclame l'union de notre vieux continent.
La carte de l'indépendance, aujourd'hui, c'est
celle de l'Europe.

CHAPITRE 44

La querelle n'a aucune raison de s'apaiser

Je ne pense pas que la tension russo-chinoise débouche, en définitive, sur un affrontement général armé.

D'ores et déjà, les affrontements armés sont multiples mais ils restent limités. Il y a eu des incidents de frontière sur l'Oussouri ; il y aura, à peu près sûrement, d'autres opérations de patrouille destinées à ne pas jeter le manteau de l'oubli sur les revendications territoriales.

Les combats sur l'Oussouri ont été relativement faibles. Les effectifs engagés, le matériel n'étaient pas considérables. Les uns et les autres ont ainsi marqué leur volonté de ne pas aller au-delà d'une certaine limite. Sous peine de conflit majeur.

Des incidents comme ceux de l'Oussouri permettent d'entretenir au sein des populations l'idée que l'autre peut attaquer et qu'il faut être vigilant. On les grossit donc. Le problème de fond ici est de laisser planer l'incertitude. Chacun craint chacun.

Le conflit majeur était en gestation en 1968. Les faucons russes ont manqué le coche. L'opinion mondiale était excédée par la Révolution culturelle. La Tchécoslovaquie, en août 1968, a fait les frais de la nervosité russe et a probablement détourné la foudre que les généraux soviétiques réservaient à la Chine.

Une guerre déclenchée aujourd'hui par la Russie me paraît exclue. En dépit de sa supériorité technique, elle est incapable d'occuper le terrain. L'état-major soviétique connaît bien le précédent de la guerre nippo-chinoise des années 30. Les Japonais avaient introduit une masse de 2 millions et demi de soldats en Chine. Ils se sont fait absorber comme par une éponge, ils se sont perdus et finalement les survivants ont été rapatriés. Les Russes ne souhaitent pas risquer cet enlisement dans une Chine qui n'est pas occupable.

En outre, les Chinois, depuis dix ou douze ans, se sont supérieurement organisés. Les abris par exemple : à Pékin et dans l'ensemble du pays, il y a des abris antiatomiques dont certains sont à 20 mètres de profondeur.

Les Chinois ont l'arme nucléaire. Leur Armée peut s'étoffer, à l'occasion, de tout le paquet des milices populaires. C'est un pays en armes que les Russes devraient affronter et dans les plus mauvaises conditions.

Naturellement, on peut toujours détruire. Il y a, sans aucun doute, en U.R.S.S. des boutefeux qui seraient décidés, s'ils étaient seuls ou en position de le faire, à démolir ce qui peut être la puissance nucléaire chinoise. Pendant qu'il est encore temps. Je pense qu'ils sont en minorité et que la sagesse l'emporte chez les dirigeants soviétiques.

En revanche, ils craignent que les Chinois ne les attaquent. L'ouverture d'un conflit armé présenterait des risques incalculables pour Moscou mais seulement des risques limités pour Pékin. Au cri de « l'Asie aux Asiatiques » lancé par les Chinois, des oppositions aux Russes naîtraient un peu partout et l'état-major soviétique serait contraint d'ouvrir une multitude de fronts.

Il demeure ceci : la tension entre la Chine et la Russie n'a aucune raison de s'apaiser, même si elle ne débouche pas sur le fracas des armes. Et il y a suffisamment d'Angolas dans le monde pour que la querelle prenne quelquefois, quelque part, un tour sanglant, même par Cubains ou Congolais interposés.

En 1964, au cours d'un entretien privé, le général de Gaulle m'avait parlé de ce conflit :

« Je me suis posé une question, m'a-t-il dit, le retrait des techniciens soviétiques de Chine est-il une péripétie ? Certainement non. Le différend sino-soviétique dépasse de très loin les limites de l'épiphénomène. L'histoire de l'Europe et de l'Asie nous enseigne qu'il s'agit d'une très ancienne fracture. Une idéologie commune aurait peut-être pu les tenir unis. Même là, une faille s'est produite. »

Beaucoup pensaient — et les Russes eux-mêmes — que la mort de Mao Tsé-toung atténuerait le conflit. Il faut se rendre à l'évidence. La relève de la garde à Pékin modifiera le ton de telle ou telle réplique de la pièce, redessinera le profil de tel ou tel personnage, remodèlera même les développements de telle ou telle situation. Mais pour l'essentiel, rien ne sera changé. Les Chinois ne le veulent ni ne le peuvent. Entre eux et les Russes, si la guerre brûlante est improbable, la paix est tout aussi impossible. Bloqués sur des vérités contradictoires, des centaines de millions d'hommes vont poursuivre longtemps encore ce duel glacé. Image inquiétante d'un monde éclaté. Menace du choc de deux continents que vivront, j'en suis convaincu, les générations de demain.

François Missoffe
Paris, hiver 1977.

ANNEXES

POPULATION EN MILLIONS (1974)

MONDE (Total) = 3 967 M.

CHINE	825,0
TAÏWAN	16,0
HONG KONG	4,2
MONGOLIE	1,4
CORÉE DU NORD	15,4
CORÉE DU SUD	33,4
JAPON	109,7

Extrême-Orient 1 005.1

AFGHANISTAN	18,8
PAKISTAN	62,2
BANGLA DESH	75,0
NÉPAL	12,3
INDE	586,2
SRI LANKA	13,6

Sous-continent 768,1

BIRMANIE	30,3
THAÏLANDE	41,0
MALAISIE	11,6
SINGAPOUR	2,2
INDONÉSIE	127,6
PHILIPPINES	41,4

Asie du Sud-Est 254,1

CAMBODGE	7,9
LAOS	3,2
VIÊT-NAM	43,2

C.L.V. 54,3

AUSTRALIE	13,3
NOUVELLE-ZÉLANDE	3,0
RESTE	1,0

.... 17,3

2 098,9

NOTES POLITIQUES
AU FIL DES ÉTAPES

I.

L'Asie du Sud-Est
après la guerre
du Viêt-nam

L'annonce de la réunification du Viêt-nam marque les débuts d'une époque nouvelle en Asie du Sud-Est. Il est temps aujourd'hui d'en mesurer les conséquences et, sur ces données nouvelles, de proposer les grandes lignes d'une politique française dans la région.

L'Asie du Sud-Est, incertaine, divisée, restera l'un des points chauds du monde de demain. C'est ici que les grands affrontements du XXᵉ siècle ont connu leur expression la plus virulente : combats de la Deuxième Guerre mondiale, premières guerres de décolonisation, lutte du communisme contre l'Occident. A beaucoup d'égards, elle rappelle, par sa situation sensible, les Balkans du début du siècle. Mais la dimension des problèmes en cause est bien plus considérable.

L'Asie du Sud-Est a 350 millions d'habitants. Dans 25 ans, ils seront 700 millions. Le niveau de vie, bien qu'inégalement réparti (1 000 dollars par tête à Singapour, 100 dollars en Indonésie), n'est pas négligeable. Les possibilités de développement sont immenses, grâce à des ressources variées en matières premières, minérales ou agricoles ; l'Indonésie est le 11ᵉ producteur mondial de pétrole ; la Malaisie, la Birmanie, la Thaïlande et le Viêt-nam ont des ressources prouvées ou exploitées. A elle seule, la Malaisie est, dans le monde, le premier exportateur d'étain, de bois, d'huile de palme et de caoutchouc.

L'Asie du Sud-Est ne connaît pas la faim. Ce n'est ni la
Chine d'avant la révolution, ni l'Inde, ni le Bangla Desh.
Certains pays sont même traditionnellement exportateurs de
riz : la Thaïlande, la Birmanie, le Cambodge. Il a fallu les
circonstances de la guerre et une désorganisation des circuits
de production pour que cesse cet avantage. La croissance
démographique remet en cause, dans un avenir plus ou moins
proche (5 ans, dit-on pour la Thaïlande et la Birmanie), cette
autonomie alimentaire. Il va falloir moderniser la production, c'est-à-dire l'encadrer, conquérir les terres, c'est-à-dire
faire intervenir l'État ou diversifier les ressources, c'est-à-dire
industrialiser et changer les mentalités. Les structures sociales
stables, que garantissait la richesse des terres, deviennent
précaires.

La géographie et l'histoire déterminent deux ensembles
relativement hétérogènes qui se partagent l'Asie du Sud-Est :
l'Indochine, où le Viêt-nam est en position dominante, les
cinq pays de l'ASEAN, dont la population est à majorité
malaise si l'on excepte les minorités chinoises, et la Thaïlande,
qui occupe une position charnière à la lisière de l'Indochine.
La Birmanie s'est volontairement isolée.

I. — Dans la zone, le Viêt-nam est l'élément dynamique et
perturbateur. Sa réunification est pratiquement réalisée. Son
armée, qui dispose de matériel chinois, soviétique, américain
et de techniciens capables de s'en servir, est la plus forte de la
région. Son régime politique, inexpugnable, offre aux
peuples d'Asie un modèle de fierté nationale. Sa population
de près de 50 millions d'habitants, habile et bien encadrée, est
capable de redresser plus vite que prévu l'économie très
endommagée par la guerre.

Le Viêt-nam peut faire pression sur les autres pays d'Indochine ou sur la Thaïlande incertaine, être la référence politique des mouvements révolutionnaires dans la région, mais il
ne faudrait pas exagérer son influence sur l'ensemble de l'Asie
du Sud-Est, dont la plus grande partie lui reste très étrangère,
sinon hostile.

L'extraordinaire succès de la prise de Saïgon a accru la

liberté de manœuvre du Viêt-nam. Les dirigeants d'Hanoï ne sont pas obligés de suivre les perspectives ouvertes par les accords de Paris qui conduisaient, de fait, à une balkanisation de l'Indochine où le Sud-Viêt-nam, parallèlement au Laos et au Cambodge, aurait donné un exemple de neutralisme.

La réunification immédiate — objectif final et conforme au testament d'Hô Chi Minh — est certes coûteuse en termes économiques et politiques. Il est difficile d'assimiler des populations qui ont suivi des évolutions très différentes et contiennent des minorités dures d'opposants (les catholiques, les Chinois de Cholon). La réunification a été faite contre l'intérêt évident de la Chine. C'est l'U.R.S.S. qui devra apporter un soutien politique et des promesses d'aide à la reconstruction et à la reconversion. Il n'est pas indifférent que le processus de réunification ait été annoncé lors de la visite à Moscou de Le Duan, secrétaire général du Parti communiste vietnamien, et que les autorités soviétiques s'en soient immédiatement félicitées. L'équilibre d'influence entre les deux grands pays communistes, prudemment maintenu par les Vietnamiens, est peut-être apparemment rompu en faveur de l'U.R.S.S., mais il ne faudrait pas en tirer trop de conséquences. Les Vietnamiens se sont toujours montrés jaloux de leur indépendance, vis-à-vis de Moscou comme de Pékin. Pourquoi agiraient-ils différemment aujourd'hui où la réunification de leur pays et le retour de la paix les rendent plus forts ? Certes l'U.R.S.S. aura son rôle à jouer, dont il lui faudra supporter le coût économique qui ne sera pas négligeable. Elle sera présente comme pays ami et fournisseur d'aide, et cela contribuera à consolider son influence. Mais on voit mal, cependant, que les Vietnamiens puissent ou souhaitent se placer davantage dans l'obédience soviétique, contre Pékin. Ce n'est ni dans la tradition, ni dans le caractère, ni dans l'intérêt des nationalistes communistes de Hanoï. La Russie est plus forte économiquement que sa rivale. Mais elle est loin, alors que la Chine est frontalière. Il paraît difficile que les Soviétiques puissent obtenir au Viêt-nam des bases militaires ou navales. Déjà, en politique étrangère, les Vietnamiens insistent sur leur non-alignement et leur indépendance à l'égard des blocs. Ils citent volontiers l'exemple de la Yougo-slavie. Ils recherchent une ouverture vers d'autres pays et une diversification de l'aide : La France, les autres pays de la C.E.E., les pays scandinaves, le Japon, les institutions interna-tionales, camouflant une aide américaine aléatoire, sont des partenaires possibles. L'accueil de la mission française de M. de Courcel à Hanoï, l'acceptation des « dommages de guer-re » japonais sont autant de signes d'ouverture. Mais les Viet-namiens considèrent avec prudence les aides qui auraient une coloration néo-coloniale et risqueraient d'entraver le proces-sus de « remise au pas » de Saïgon. Ils se méfient de tous, même des pays de l'ASEAN, dont l'indépendance leur paraît fallacieuse et le modèle de développement économique trop dépendant de l'étranger.

La perspective d'une fédération plus ou moins formelle des pays d'Indochine — certains ont même parlé d'une République Populaire d'Indochine — est un vieux rêve pour les héritiers du Parti communiste indochinois fondé par Hô Chi Minh. A première vue, elle est près d'être réalisée dans les faits.

Au Laos, le Pathet Lao, étroitement associé à Hanoï, a pris le pouvoir. La piste Hô Chi Minh au Laos a été la colonne vertébrale de la résistance vietnamienne. Il ne peut en être autrement aujourd'hui. S'il reste un nationalisme laotien, il a peu de moyens d'expression et ne semble pas vouloir, pour le moment, contrer trop ouvertement l'influence vietnamienne. La Chine a peu de moyens d'influence politique. Elle se contente d'occuper au Nord du pays les voies de passage vers la Birmanie et la Thaïlande, et de manifester ainsi qu'il faut compter avec elle. Mais déjà, la pression vietnamienne dans les provinces d'ethnie lao du Nord de la Thaïlande, indique une ambition nouvelle. Le Laos est devenu l'instrument de la menace vietnamienne sur la Thaïlande.

Le Cambodge a une marge de manœuvre plus large. La victoire révolutionnaire y est venue trop tôt pour que les Vietnamiens aient eu le temps d'implanter leurs hommes. La Chine, dès le début, a soutenu étroitement la résistance de Sihanouk et des Khmers rouges. Les dirigeants khmers, même ceux d'entre eux qui se sentaient plus proches des Vietnamiens, ont compris que la Chine était un allié géographiquement moins insistant que le Viêt-nam, et le meilleur garant de l'indépendance nationale. En effet, les troupes vietnamiennes sont là, aux frontières. Hanoï a ses partisans dans le gouvernement. Derrière les Vietnamiens, la Russie propose son aide et tente d'effacer le souvenir de son soutien maladroit à Lon Nol. Au pressant voisinage vietnamien, le Cambodge veut opposer l'amitié thaïe et diversifier ses alliances. Il demandera vraisemblablement son aide à l'Occident, au Japon, quand la réorganisation du pays permettra de l'accueillir sans remettre en cause la révolution. La Chine dispose de peu de moyens pour faire sentir son amitié, sans frontière commune, sans présence militaire directe. Elle agit diplomatiquement, en favorisant notamment l'ouverture vers la Thaïlande, politiquement en renforçant, autant que possible, son influence au sein du gouvernement, et économiquement en accordant une aide financière importante.

II. — Cinq nations d'Asie du Sud-Est (Indonésie, Thaïlande, Philippines, Malaisie, Singapour) se sont regroupées dans l'ASEAN en 1962, totalisant 225 millions d'habitants aujourd'hui, 500 millions en l'an 2 000. A elle seule, l'Indonésie en compte plus de la moitié. L'ASEAN exprime leur volonté de vivre ensemble en se gardant des influences étrangères. C'est un état d'esprit, ce n'est pas encore une politique : quelques réunions d'information économique, l'étude — non la réalisation — de projets d'intérêt commun, des rencontres diplomatiques. Les querelles internes ont été dédramatisées. Mais une prise de conscience régionale existe. Certes, des conflits subsistent : rébellions musulmanes au sud des Philippines, plus ou moins alimentées par l'État malais de Sabbah, rébellions musulmanes en Thaïlande, auxquelles la Malaisie islamique ne peut rester indifférente. Mais les souvenirs de la « Confrontasi » qui, au temps de Soekarno, a opposé violemment la Malaisie et l'Indonésie sont effacés. Les deux pays coopèrent dans la répression des infiltrations communistes à Bornéo, ou mènent la même politique méfiante à l'égard des minorités chinoises. La Malaisie a pris son parti de l'existence de Singapour. De leur côté, les Chinois de Singapour, plutôt que de dédaigner l'hinterland malais ou indonésien, insistent sur la complémentarité des économies.

L'ASEAN n'a pas encore une politique étrangère commune. Elle affirme son neutralisme, mais n'oublie pas que l'anticommunisme est son ciment le plus fort. Elle prétend se débarrasser de toute influence étrangère, mais ne repousse pas l'aide américaine. Elle veut être réaliste et considérer l'Asie telle qu'elle est, plutôt que selon les schémas idéologiques de la guerre froide. Mais chacun interprète ce réalisme à sa manière : pour les uns, cette constatation implique la reconnaissance de la Chine et une attitude à « la finlandaise ». Ce pari, la Thaïlande le fait, contrainte par la proximité géographique et par le danger vietnamien. La Malaisie a espéré, avec la complicité de Pékin, pouvoir calmer ses minorités chinoises. C'était peut-être faire preuve de trop d'optimisme. Les Philippines, garanties par leur position insulaire, peuvent, sans danger, se rapprocher de la Chine. Par contre, Singapour et l'Indonésie se méfient. La petite république, parce que sa population chinoise, au moindre vent de mécontentement, à l'occasion de difficultés économiques, serait trop vite tentée de se retourner vers Pékin. L'Indonésie, parce qu'elle se sent assez forte, que l'amitié chinoise ne lui apporterait rien et que les généraux qui la dirigent ont gardé la hantise de l'alliance du Parti communiste indonésien (P.K.I.) proche de Pékin et des minorités chinoises qu'ils ont défaites dans le sang.

L'ASEAN souhaiterait attirer le Viêt-nam nouveau pour l'assagir, le Laos et le Cambodge, la Birmanie jalousement neutraliste. Mais elle ne veut remettre en cause ni l'assistance militaire américaine, ni une certaine dépendance économique à l'égard de l'étranger. Cette « national resilience », selon une formule anglo-saxonne très en usage en Indonésie, ne fait pas fi des apports extérieurs.

La Thaïlande a encore une base américaine, et certains souhaitent en retarder la disparition totale avec l'accord implicite des Chinois. La Malaisie a des bases australiennes (en vertu de l'ancien accord de défense des Cinq : Grande-Bretagne, Australie, Nouvelle-Zélande, Singapour et Malaisie). Les Philippines ont renouvelé — en faisant mine de ne pas le souhaiter vraiment — l'accord maintenant les bases américaines. L'Indonésie reçoit une aide militaire importante des États-Unis.

A Hanoï ou à Djakarta, le non-alignement n'a pas du tout la même signification. L'Indonésie reste encore une création économique américaine. Des complicités certaines se maintiennent aux Philippines, et quand l'Amérique s'éloigne, le Japon prend le relais de la présence occidentale. Il est impopulaire dans l'ASEAN. Sa politique de nation industrielle a peu d'intérêts communs avec ces pays en voie de développement. Il reste trop proche des États-Unis. On accepte son aide, un peu comme le dû d'un parent qu'on dédaigne mais qui a réussi.

L'U.R.S.S. fait des propositions d'amitié. Elle défend l'idée d'un pacte de sécurité asiatique qui ne reçoit pas beaucoup d'échos favorables, car les nations de l'ASEAN ont renoncé au jeu de bascule, opposant une puissance à une autre, avec ce que ce calcul a d'irréel. A leurs yeux, le seul moyen de contrebalancer l'influence chinoise est une authentique volonté d'indépendance et non pas un asservissement concurrent.

Reste l'Europe, parce que l'Europe est, au moins théoriquement, le champ d'une ouverture sans risque. Les liens anciens de la colonisation créent une complicité que ne vient pas ternir le danger d'une hégémonie.

Les nations de l'ASEAN ont des régimes politiques semblables. Elles sont nées anti-communistes et le demeurent : la Malaisie forgée par la lutte contre les guérillas communistes, les Philippines arrachées aux rebelles Huks, l'Indonésie évitant de justesse la toute-puissance du P.K.I.

aidé par Soekarno. La Thaïlande a été aux premières lignes de
la guerre du Viêt-nam. La présence américaine dans toute la
région a longtemps paru la meilleure défenŝe contre les
risques d'une subversion plus ou moins importée, ou tout
simplement contre les mécontentements populaires. Même, la
Thaïlande, qui a longtemps été gouvernée par des militaires
anticommunistes, s'enlisait dans un pouvoir faible avant un nouveau coup de force. Partout ailleurs des régimes forts sont en
place. Ils ne sont pas artificiels — ce n'est ni Thieu ni Lon Nol —
et détiennent une certaine légitimité nationaliste. Lee Kuan You,
à Singapour, a fondé son État. Tun Razak, en Malaisie, respec-
tait les règles constitutionnelles. Marcos, aux Philippines,
s'essaie à une certaine popularité et réussit à assurer la sécurité.
Suharto, en Indonésie, se réclame avec insistance des premiers
combats de l'indépendance et des principes du Pancha Sila qui
ont fondé la république indonésienne. Tous insistent sur les
valeurs nationales. Mais la corruption est pout eux un danger
politique. L'information, l'éducation, la perception des privilèges et des différences de niveau de vie rendent de moins en
moins supportable l'injustice. Elle semble liée au système économique et social que défendent ces régimes.

L'ordre instauré, l'autorité qui l'impose ne peuvent se
justifier que si le progrès économique débouche sur la justice
sociale. Tous ces pays suivent à peu près le même modèle de
développement : appel aux capitaux étrangers, aide et assistance technique internationale. Des « technocrates » compétents et formés aux États-Unis en sont les exécutants. Singapour bénéficie déjà des capitaux de la diaspora chinoise et fait
un grand effort pour attirer vers les secteurs de pointe les
investisseurs étrangers. L'Indonésie — avec un montant
considérable d'aide internationale — voudrait être un modèle
de gestion selon les critères des économistes américains. La
Malaisie suit la même ligne, la Thaïlande aussi, mais leur
faiblesse politique ne manque pas d'inquiéter les investisseurs
potentiels.

Une nouvelle classe bourgeoise — qui n'est pas encore une
classe d'entrepreneurs — soutient cette politique. Elle perpé-

tue les inégalités sociales, instaure une société artificielle de consommation, subit un mode de vie étranger. La présence trop voyante des intérêts étrangers, le sentiment de dépendance à l'égard de l'aide internationale, suscitent des réflexes nationalistes parfois agressifs. Les dirigeants doivent en tenir compte, et substituer à la culture coloniale importée le retour aux valeurs nationales. L'exemple de Bangkok, livrée à la prostitution et à une corruption sans limite, est devenu dans la région un symbole d'opprobre. Ces sentiments peuvent se teinter de xénophobie ou d'orgueil racial. A Kuala-Lumpur, on exige un fort pourcentage de nationaux d'origine malaise (les Bumi Putras) dans les entreprises. L'Indonésie en vient aux mêmes mesures sans que l'on sache vraiment si les Chinois d'origine sont compris dans le même quota. Il y a eu, un peu partout, des manifestations anti-américaines, puis anti-japonaises surtout, car les Japonais, parce qu'ils représentent une forme de néo-colonialisme économique, sont devenus les boucs émissaires de la xénophobie. Les Européens n'y échapperont pas si leur présence devient trop voyante. Le modèle choisi de développement économique peut souffrir de ces évolutions. Les dirigeants en sont conscients. Chaque pays a la nostalgie d'une politique à la Soekarno, un socialisme national flamboyant flattant l'imagination et l'orgueil patriotique. Ce n'est pas l'espoir d'une croissance dont les fruits sont mal partagés, qui pourrait s'y substituer.

L'existence de minorités rend fragiles les nations de l'ASEAN. Le problème est particulièrement grave en Malaisie où les Chinois, dont les droits politiques sont limités, et les Malais, qui ne détiennent pas le pouvoir économique, se partagent le pays. A cette division raciale se superpose l'opposition géographique entre la Malaisie péninsulaire et les États malais de Bornéo riches en pétrole, éloignés et peuplés de Proto-malais. L'Indonésie est une nation récente, peut-être artificielle. La communauté chinoise y est proportionnellement réduite, mais enviée et influente. Des tendances séparatistes peuvent apparaître si les circonstances internationales

leur deviennent favorables. Il n'y a pas si longtemps que les
États-Unis utilisaient contre Soekarno le nationalisme suma-
tranais. La Thaïlande a ses musulmans au Sud et au Nord, ses
minorités lao (5 millions, dit-on) qui peuvent bien se laisser
séduire par le socialisme de Vientiane et ses inspirateurs vietnamiens. Aux Philippines, les rébellions musulmanes des îles
Soulous maintiennent l'armée en état de guerre et coûtent
cher au pays.

Hors de l'ASEAN, la Birmanie est un monde à part. Le
gouvernement contrôle mal une fédération artificielle de
minorités. Le pays est si fragile et si divisé, aux confins de la
Chine, partiellement revendiqué par la Thaïlande, que toute
évolution semble le condamner. Le régime du général Ne
Win a choisi de fermer les frontières, de freiner les tentations
de développement économique et d'éloigner les étrangers.
Une politique stricte de neutralité n'accepte pour le moment,
et par obligation, que l'amitié chinoise en veillant à ne pas s'y
inféoder.

Tant sur le plan économique que politique, l'Asie du Sud-
Est représente une zone d'intérêt vital pour les grandes puissances : Chine, U.R.S.S., États-Unis, Japon et, dans une
certaine mesure, pour l'Europe.

La Chine

Soumise à des influences adverses, l'Asie du Sud-Est peut
constituer pour la Chine un danger véritable. S'étant dégagée
de l'encerclement japonais, puis américain, l'Empire du
Milieu ne voudrait pas lui voir s'y substituer la menace d'un
encerclement soviétique. Cette perspective est devenue, pour
la politique chinoise, une véritable obsession.

Certes, les Chinois prétendent maintenir leur ligne politique traditionnelle qu'ils ont défendue dès la Conférence de
Genève en 1954, et dont les thèmes principaux sont : la
balkanisation du Sud-Est asiatique et sa neutralisation. Suffi-

samment préoccupés par leur développement intérieur, ils n'ont pas de visées expansionnistes. Conformément à leur tradition historique, leur suzeraineté se veut lointaine. Le thème de l'Asie aux Asiatiques rejoint certains slogans de la sphère de coprospérité japonaise et connaît le même succès. Mais la réunification du Viêt-nam et l'expansionnisme de sa politique les conduisent à envisager des attitudes plus dures. S'ils ne parviennent pas à contrôler l'évolution de la région, leur présence se fera sans doute plus précise, voire militaire comme dans les régions du Nord du Laos, où ils s'opposent à la main-mise vietnamienne. L'inquiétude et la nécessité peuvent les inciter à un durcissement idéologique et à la tentation de satelliser des États voisins par le biais de partis à leur dévotion.

Les Chinois gardent deux fers au feu. Ainsi en Birmanie, ils tolèrent le régime du général Ne Win, à la condition qu'il demeure strictement neutraliste et ne s'effondre pas dans ses contradictions. Mais si la nécessité se fait sentir, le parti communiste birman *Drapeau blanc,* étroitement contrôlé par la Chine, est prêt à accroître sa pression.

En Thaïlande, la Chine accepte d'accorder, au régime en place, son soutien diplomatique. Mais, si ce pari ne peut être gagné, du fait de la faiblesse du gouvernement thaï, la Chine fera tout pour éviter qu'une autre puissance (le Viêt-nam peut-être et, par son intermédiaire, l'U.R.S.S.) n'utilise à son profit les tensions révolutionnaires. En Malaisie, les Chinois favorisent peut-être la naissance d'un foyer révolutionnaire menaçant l'Indonésie voisine et lui rappellent les dangers d'une politique trop engagée ailleurs vers les États-Unis ou – qui sait, un jour – l'U.R.S.S.

La Chine ne peut accepter d'être accusée de mener une politique « révisionniste ». Elle doit rester capable de préparer l'encadrement de la révolution, d'éviter que naissent en Asie du Sud-Est des mouvements nationaux qui risquent de devenir concurrents, et de perdre, par la même occasion, son « leadership » de la révolution mondiale. La pression vietnamienne peut l'amener plus vite que prévu à un durcissement dans les zones où l'influence d'Hanoï se ferait trop sentir. Pour des raisons idéologiques, la Chine, après la mort de Mao, choisira-t-elle de mener une politique plus rigoureuse ? Les soubresauts extérieurs de la Révolution culturelle ne sont pas oubliés.

L'U.R.S.S.

Trop lointaine, elle n'est pas traditionnellement présente en Asie du Sud-Est. Elle a dû longtemps sacrifier à la détente les intérêts du peuple vietnamien. La victoire totale d'Hanoï a constitué pour elle « une divine surprise ». Par son intermédiaire, elle peut prétendre reprendre une influence sur la zone, et dans ce dessein, elle avait intérêt à encourager la réunification du Viêt-nam et son messianisme révolutionnaire.

Puissance redevenue révolutionnaire en Asie, grâce à Hanoï, paradoxalement plus que la Chine, l'U.R.S.S. tente parallèlement d'apparaître dans la région comme un contrepoids possible à l'influence chinoise. Le pacte de sécurité collective qu'elle propose aux régimes en place devrait permettre — selon ses vues — un neutralisme asiatique excluant l'influence chinoise.

En Indonésie, elle tente de recueillir le souvenir des amitiés soviétiques de la première époque de Soekarno. En Malaisie, elle affirme sa présence en dénonçant le danger chinois que rend virulent l'opposition des communautés. En Thaïlande, elle s'appuie sur les étudiants ou ceux des modérés qui sont hostiles au régime, et peut-être même sur certains militaires qui sont associés au *lobby* formosan, et rappelle les dangers d'une politique étrangère trop exclusivement prochinoise ; mais ce qu'elle offre est maigre.

L'U.R.S.S. tente de développer son influence économique (commerce et assistance technique) ou politique dans les pays de l'ASEAN. Mais sa capacité d'aide n'est pas illimitée et, comme fournisseur de biens d'équipements, elle n'est pas capable de rivaliser avec les nations occidentales ou le Japon. Elle rencontre peu d'intérêt ou beaucoup de méfiance qui ne pourraient être contrebalancés que par le sentiment d'une menace directe de la Chine.

La Russie d'Asie, au nord du continent, borde les frontières de la Chine et de la Corée à proximité du Japon. La puissance soviétique est présente par ses forces navales dans l'océan Indien, et de plus en plus, dans le Pacifique. Elle se manifeste économiquement et politiquement, dans une certaine mesure, en Inde.

La Russie est influente, enfin, en Indochine et devrait l'être à présent davantage. Mais c'est sa position la plus éloignée et la plus isolée. Elle ne peut avoir avec le Viêt-nam que des relations maritimes.

Cette amitié, renforcée aujourd'hui par des intérêts communs avec le nouveau Viêt-nam, pourrait-elle ajouter très sensiblement à l'expansion soviétique et menacer la Chine de l'encerclement qu'on redoute à Pékin et dont on rêve à Moscou ? Il y a, semble-t-il, encore beaucoup à faire pour renforcer et relier ces jalons asiatiques, et réaliser dans les faits ce qui apparaît encore comme un exercice un peu sommaire de géo-politique.

LES ÉTATS-UNIS

Les États-Unis ont longtemps considéré l'Asie du Sud-Est, de l'autre côté du Pacifique, comme leur ligne de défense naturelle face au déferlement communiste, à l'expansion chinoise ou à l'une des multiples formes du danger soviétique. Cet intérêt national a justifié les contre-guérillas des années 50 en Malaisie et aux Philippines, la politique de soutien au régime indonésien après 1966 et la poursuite insensée de la guerre au Viêt-nam.

La crédibilité des États-Unis dans la région a été fortement

entamée par le retrait de ses forces au Viêt-nam et l'annonce
de leur retrait progressif en Thaïlande. L'engagement américain dans la zone reste incertain et ses modalités sont vagues.
Pour l'instant, les U.S.A. semblent avoir mis en place une
deuxième ligne de défense passant par Séoul, Okinawa, les
Philippines et la Micronésie.

Les États-Unis ne peuvent admettre un effondrement total
de toute forme de présence occidentale dans cette région du
monde, mais comment définiront-ils les formes de leur assistance et quels sont les pays qui pourront en bénéficier ?
Seront-ils prêts à modifier, par une forte présence militaire —
si elle est nécessaire, — une évolution des données politiques
intérieures ? Les réponses — on le sait maintenant — dépen-
dront de l'attitude conjoncturelle de l'opinion publique et du
Congrès américain. Entre une aide économique considérable,
un soutien politique plus ou moins discret, une assistance
militaire plus ou moins directe et l'envoi de troupes, ou l'usage de la menace mettant en jeu les relations entre les deux
Grands, il y a un pas qui ne paraît pas devoir être franchi
avant longtemps. Quoi qu'il en soit, les États-Unis ne
semblent plus considérer l'Asie du Sud-Est comme une zone
d'intérêt vital.

Les pays de la région en ont tiré les conséquences, en acceptant l'Asie telle qu'elle est avec l'influence prépondérante de
la Chine. Mais cette constatation doit être nuancée. Sur place,
les *lobbies* américains n'ont pas désarmé. Les ambassades
conservent la routine de leurs informateurs habituels et de
leurs protégés. Les anciens d'Indochine, l'ambassadeur
Whitehouse, actuellement en poste à Bangkok, l'ambassadeur
Sullivan, actuellement à Manille, ont gardé les mêmes réflexes
qu'au temps de la période faste de la présence américaine. Ils
constatent que la Chine n'est plus hostile à une forme de
présence américaine, même militaire, moins dangereuse pour
elle que l'influence soviétique : les délais d'évacuation des
bases en Thaïlande sont reculés, l'aide militaire en Indonésie,
en Malaisie et aux Philippines est accrue.

L'aide économique (430 millions de dollars en 1972), plus

efficace pour contrer la subversion, a pris le relais de l'assistance militaire. Les intérêts des États-Unis dans la zone ne sont pas négligeables, même si l'Asie du Sud-Est ne représente que 3 ou 4 % de leur commerce extérieur et 10 à 15 % de leurs investissements à l'étranger. Néanmoins, les investisseurs sont prudents. Dans beaucoup de pays de la région, les États-Unis ont cédé la place au Japon qui leur sert volontiers de relais asiatique.

L'Indonésie, qui n'abrite pas de base militaire américaine, est le principal bénéficiaire de cette nouvelle politique d'assistance économique. Les États-Unis misent sur son rôle stabilisateur que justifie l'importance de sa population et de ses richesses naturelles. Ils favorisent son essor économique par un montant considérable d'aide internationale. Selon eux, l'Indonésie devrait pouvoir proposer à la région un modèle réussi de développement. Les Philippines gardent avec les États-Unis des liens privilégiés. Des intérêts d'origine coloniale y subsistent. Le maintien des bases américaines, que Marcos fait semblant de ne pas souhaiter, sert de prétexte à ses demandes d'accroissement de l'aide économique.

Le caractère dictatorial des régimes protégés en Indonésie, comme aux Philippines, leurs entraves à la liberté, leurs prisonniers politiques risquent d'entraîner un jour les critiques du Congrès et de l'opinion publique américaine. Dépendant de l'étranger — quoi qu'ils en disent — pour leur survie économique et politique, il ne faut pas exclure qu'ils puissent un jour subir les effets d'une réduction brutale de l'aide.

Le Japon

Le Japon attend de l'Asie du Sud-Est la fourniture de matières premières qui, d'une certaine manière, est la condition de sa survie, un marché important, des possibilités d'industrialisation pour la fabrication à bon marché de produits de consommation. Certes, en 1974, les investisse-

ments japonais dans les pays de l'ASEAN ne représentent que
14 % de ses investissements extérieurs et son commerce
12,10 % de son commerce total. Mais les produits concernés
sont vitaux pour l'industrie japonaise. Le Japon consacre
d'ailleurs à l'Asie du Sud-Est 40 % des crédits à l'exportation
et 55 % de son aide publique au développement : le Japon est
le premier investisseur en Thaïlande, le second aux Philippines et en Indonésie.

Le Japon fait pourtant preuve d'une curieuse absence politique. En effet, il n'offre ni protection militaire ni politique
étrangère originale. Il paraît trop lié aux États-Unis. Il refuse
de choisir entre le conformisme américain, l'attraction économique de l'U.R.S.S. et la complicité asiatique de la Chine. Il
aide les nations de l'ASEAN, mais parallèlement accepte de
payer des dommages de guerre au Viêt-nam et noue avec
Hanoï des relations diplomatiques. Le Japon est encombrant,
mais chacun l'utilise. En Asie du Sud-Est, on souhaiterait
peut-être qu'il ait une politique étrangère plus cohérente, qui
soit plus neutraliste et moins confiante dans son dynamisme
économique de nation déjà industrialisée. Ses échanges
économiques trop spectaculaires, ses hommes d'affaires
maladroits, ses investissements excessifs, ses hordes de touristes exécrables le rendent impopulaire.

Le Japon est devenu un thème de critique pour les nationalistes d'Asie du Sud-Est. Il représente à la fois le souvenir et
les horreurs de la Deuxième Guerre mondiale, le symbole
d'une société de consommation et d'un type de développement économique trop dépendant de l'étranger. Les manifestations de rues qui ont eu lieu lors des voyages de Tanaka en
Thaïlande et en Indonésie en ont fourni la preuve spectaculaire. Le Japon donne l'impression d'avoir besoin de l'Asie du
Sud-Est sans lui apporter les contreparties qu'elle en attend.

Les Japonais en sont conscients, mais, de fait, c'est le patronat qui dirige leur politique étrangère en fonction des seuls
intérêts économiques.

L'Australie et la Nouvelle-Zélande découvrent le caractère inéluctable de leur présence en Asie et se rapprochent de l'Asie du Sud-Est où elles voient un élément important de leur défense stratégique et de leur approvisionnement en matières premières. Elles lancent une coopération technique accrue et développent leurs ventes de biens d'équipement et leurs contrats économiques avec les pays de la zone, mais une telle attitude n'a pas encore une grande valeur politique.

LA FRANCE ET L'EUROPE

L'Europe a, avec l'Asie du Sud-Est, une longue connivence historique. La colonisation a laissé des liens culturels, des habitudes communes, le goût de travailler ensemble. Cette complicité a survécu aux ruptures de la décolonisation. Les nations de l'Asie du Sud-Est cherchent, dans une Europe qui ne les effarouche plus, la possibilité d'une ouverture et d'une diversification qui ne mettent pas en cause ses relations avec les grandes puissances plus insistantes.

Certes, une telle attitude est un peu littéraire. On souhaite attirer l'intérêt de l'Europe. Mais, pour cette faveur, on ne consentira aucun sacrifice véritable. Néanmoins, les nations de l'ASEAN proclament leur volonté de s'ouvrir à l'Europe, parce qu'elle seule les détache de l'inquiétant monopole économique du Japon et des États-Unis.

Le Viêt-nam, avec prudence, veut marquer son non-alignement en retrouvant certaines amitiés européennes un peu effacées par la décolonisation. La suspicion est grande chez ses dirigeants — farouchement nationalistes — à l'égard d'une aide qui risque toujours d'être néo-coloniale et de favoriser de fait — ne serait-ce que par la communauté de langue — l'ancienne bourgeoisie colonisée.

Les intérêts coloniaux s'effacent. Au Viêt-nam, au Cambodge, au Laos, les intérêts économiques français ont

plus ou moins officiellement disparu. En Indonésie, les
propriétés hollandaises ont été nationalisées, mais les Pays-
Bas continuent de consentir un effort dans le domaine de l'assistance technique. Aux Philippines, on supprime l'effet de
l'accord Laurel Langlais qui favorisait les Américains. A
Singapour et en Malaisie, les Anglais maintiennent plus ou
moins une présence. Ils ont encore la responsabilité du
protectorat de Brunéi, riche en pétrole (7 millions de
tonnes/an). Ce sont plutôt les investissements neufs qui affir-
ment la présence européenne, dégagés des nostalgies coloniales. C'est un dynamisme commercial sans références au passé
qui peut dorénavant marquer l'influence européenne. A cet
égard, l'Allemagne fédérale fait un effort remarquable, sans
s'appuyer sur des traditions antérieures, mais en utilisant sa
seule puissance économique. Elle se situe au 3e ou 4e rang,
selon les pays, et consacre à l'Asie du Sud-Est entre 40 et 50 %
de son aide publique.

La C.E.E. est politiquement proche de l'ASEAN. Les deux
groupements de nations — l'un plus velléitaire que l'autre —
défendent la même conception d'un monde multipolaire
dégagé de l'omnipotence des Grands. Il est important qu'au
niveau des négociations commerciales, comme des prises de
position politique, la C.E.E. marque son attachement aux
perspectives de neutralité et de développement économique
définies par l'ASEAN. L'Europe ne peut se désintéresser du
sort de 250 millions d'habitants, qui sont aujourd'hui un des
enjeux de la paix mondiale.

La France elle-même apparaît aux nations de l'Asie du
Sud-Est comme la meilleure porte d'entrée en Europe. Sa
politique étrangère originale — perçue comme plus dégagée
des influences atlantiques et proche du tiers-monde — intéresse. La justesse et la prémonition de ses vues sur le rôle de la
Chine, l'évolution du conflit vietnamien, l'avenir du
Cambodge sont respectés. On considère les relations privilégiées qu'elle a établies avec Pékin et les liens traditionnels
qu'elle a su maintenir, malgré les vicissitudes, avec Hanoï. La
France est proche à la fois des États-Unis, de l'U.R.S.S. et de

la Chine. Cette équidistance la rend apte, mieux que tout autre, à favoriser une ouverture vers l'extérieur de nations jalouses de leur indépendance, comme le Viêt-nam. De la même manière, les pays de l'ASEAN lui reconnaissent une sorte de magistrature d'influence en Asie du Sud-Est. Il lui appartient d'exploiter cet état de choses et son argument maître pour le faire est de faire prévaloir ses vues auprès des autres nations européennes. Les pays d'Indochine, comme ceux de l'ASEAN, croient que l'Europe existe et a une véritable volonté politique, que la France lui donne la coloration neutraliste qui est conforme à leurs souhaits. A nous de rendre crédible ce qui n'est souvent qu'une extrême simplification.

La France a un acquis politique au Viêt-nam. Son attitude pendant le conflit a été favorablement appréciée par les gens d'Hanoï. Simplement, elle doit accepter de tourner la page au Sud et d'affirmer une présence différente de ses intérêts coloniaux maintenus, un peu par miracle, pendant la période américaine. Au Laos, elle doit procéder au même virage et savoir qu'à Hanoï se trouve le centre ultime de décision. Au Cambodge, elle peut proposer son aide et son amitié pour arracher — certainement avec la bénédiction de Pékin — les Khmers à la solitude de leur confrontation avec leurs voisins du Viêt-nam.

Son influence culturelle peut décroître chez des peuples orgueilleux de leur nationalisme, hostiles aux privilèges de l'ancienne bourgeoisie colonisée francophone. Il faut accepter cette évolution sans ériger en dogme la francophonie. Tous les gestes de compréhension à l'égard d'Hanoï sont utiles : invitation de Pham Van Dong, remise en ordre des relations franco-vietnamiennes, assistance technique, extension des crédits, ouverture auprès de l'Europe et des organismes internationaux. Les autres pays de l'Asie du Sud-Est créditeront la France d'une influence possible vis-à-vis du Viêt-nam qu'ils craignent. Nous ne devons pas hésiter à considérer l'ASEAN comme un ensemble. Une telle attitude flatte ses membres, qui veulent accréditer la réalité de leur

solidarité régionale. Au sein de l'ASEAN, la France est en
bonne position vis-à-vis du plus important de ses États
membres : l'Indonésie. Nous lui avons consenti une aide dès
1966 et depuis, les industriels français y ont acquis de bonnes
positions commerciales et développé leurs affaires. Il faut
profiter de cet avantage acquis et manifester notre sympathie
politique en faisant, par exemple, rendre par le président de
la République française la visite à Paris du général Suharto.
Un discours à Djakarta pourrait offrir une bonne occasion de
célébrer la construction régionale de l'ASEAN.

Les amitiés arabes de la France nous mettent en bonne
position vis-à-vis des nations musulmanes d'Asie, Indonésie,
mais aussi Malaisie. Singapour s'intéresse à la France comme
à tout investisseur potentiel, ni plus ni moins ! La Thaïlande
est trop fragile pour qu'on lui consente un effort. Elle est
d'ailleurs traditionnellement hostile à notre pays, malgré le
rapprochement objectif des politiques étrangères. Les Philippines méritent que soit mieux connu des industriels français
leur potentiel économique. Il serait peut-être utile de faire
dans leur direction un geste politique (une invitation plus ou
moins officielle de Mme Marcos pourrait constituer un
premier pas).

Pour mener une action raisonnable, la France doit définir
des priorités. Au sein de deux ensembles qui ordonnent l'Asie
du Sud-Est, elle est respectée de ceux qui y détiennent l'influence déterminante : le Viêt-nam en Indochine, l'Indonésie
dans l'univers malais. C'est dans ces deux directions que doit
se polariser son effort — sans négliger les amitiés et les intérêts
acquis ailleurs.

La France ne peut être absente de l'Asie du Sud-Est. Elle ne
peut y négliger le jeu des puissances. La Chine, les États-Unis,
l'U.R.S.S. s'y sentent suffisamment concernés pour considérer
le rôle nuancé de la France et, par elle, de l'Europe qui ne
peut s'opposer à leurs vues. La France affirme ainsi sa volonté
authentique de mener une politique « mondialiste », conforme à sa vocation.

II.

Thaïlande

La Thaïlande est entrée dans l'ère moderne sans connaître de conflits majeurs tant à l'intérieur qu'à l'extérieur [1]. Ce sont les élites traditionnelles qui ont pris à leur compte la modernisation du pays. Mais elles rencontrent aujourd'hui des résistances et suscitent des antagonismes de plus en plus sérieux parmi les plus jeunes, les plus pauvres et les plus exploités. Les événements d'octobre 1973 illustrent cette opposition entre le parti de l'ordre et de la conservation, représenté par l'armée, la bureaucratie et les milieux d'affaires, et le parti du mouvement qui rallie peu à peu les jeunes, les intellectuels, les ouvriers et les paysans.

Si les pesanteurs sociologiques rendent improbables des bouleversements à court terme, les nouvelles forces qui se manifestent aujourd'hui en Thaïlande représentent un courant puissant pour qui le temps travaille. Les difficultés que peuvent créer au surplus les pays voisins risquent d'accélérer ce processus de transformation de la société thaï.

---

1. Cette note a été rédigée avant les événements de la fin de l'année 1977.

Les facteurs de stabilité en Thaïlande

La Thaïlande est le seul pays de l'Asie du Sud-Est à n'avoir pas connu la colonisation. Elle le doit certes à une position géographique privilégiée, à la limite des Empires français et britannique. Mais elle le doit surtout au fait qu'à l'arrivée des colonisateurs, elle représentait déjà une nation. Même si, dans ses régions frontalières, la Thaïlande compte d'importantes minorités, il y a unité raciale de l'ethnie thaï, unité religieuse du bouddhisme du petit véhicule, unité culturelle enfin qui s'exprime par une civilisation ancienne et une langue propre.

Fiers de leur longue histoire, les Thaïs restent profondément attachés à leurs traditions. Celles-ci se trouvent incarnées dans la monarchie. Souverain de droit divin, le roi, bien que dessaisi de l'essentiel du pouvoir, continue d'exercer une influence non négligeable dans la vie politique. Il représente encore un puissant élément unificateur et pourrait même, en cas de crise grave, jouer le rôle d'un dernier recours.

La religion bouddhique, commune à la grande majorité de la population, constitue un autre facteur d'intégration. L'interpénétration de la religion et de la vie sociale et politique, est encore très profonde. Le clergé continue d'exercer, en matière d'enseignement, un rôle essentiel. Si la Thaïlande ne connaît pas l'analphabétisme, elle le doit aux milliers d'écoles de pagode qui, dans les campagnes, restent souvent le seul moyen d'éducation. Le peuple thaï reste très religieux.

L'administration est également un important facteur de cohésion. Elle aussi a ses traditions. Son personnel est de bonne qualité et ses cadres ont souvent été formés à l'étranger. Certes, le problème de la corruption se pose, mais il semble qu'aux échelons moyens, elle reste à un niveau tolérable. Souvent, dans les provinces les plus éloignées de Bangkok, les fonctionnaires sont moins compétents et se sentent sanctionnés, bien qu'un effort soit fait par l'actuel gouvernement pour renverser cette tendance aux conséquences politiques dangereuses.

Les fortes traditions des corps spécialisés de l'administration se retrouvent également dans l'armée et la police. Ses personnels sont recrutés dans les mêmes milieux. Si le pays a connu depuis la dernière guerre plusieurs régimes militaires, les coups d'État sont le fait de généraux, installés à Bangkok et liés aux milieux d'affaires. La troupe reste respectueuse des hiérarchies et semble peu politisée. S'il existe parmi les jeunes officiers, dont beaucoup ont également été formés à l'étranger, un quelconque mécontentement, il réside plutôt dans leur désir de servir une armée plus moderne et plus évoluée sur le plan technique.

Ces facteurs de stabilité politique, que l'on retrouve dans d'autres pays de cette région, ne suffisent pas à eux seuls à expliquer l'absence de conflits graves qu'a connue l'histoire moderne de la Thaïlande. Les facteurs économiques ont également joué un rôle capital et l'on peut dire que, dans ce domaine, le Royaume a de la chance. C'est un pays qui ne connaît pas, pour l'instant, de problème démographique et qui possède d'énormes ressources. L'équilibre alimentaire y est assuré. Selon les experts, il faudra attendre 1985 pour qu'au niveau actuel de production de riz et compte tenu de l'augmentation de la population, on commence à devoir importer. D'ici là, on peut penser que la production aura augmenté grâce au progrès technique et à la mise en culture de nouvelles terres.

L'économie de la Thaïlande est essentiellement agricole — le royaume est exportateur de riz — mais son sous-sol renferme de nombreuses richesses minérales, parmi lesquelles le pétrole dont les premiers forages commencent à donner.

LES CAUSES D'UN CONFLIT POTENTIEL

Les événements d'octobre 1973 qui conduisirent à la chute du triumvirat Prapas-Thanom-Narong furent le révélateur d'une transformation en profondeur de la société thaï. Comme toujours dans ce pays, le mouvement toucha surtout Bangkok, la capitale.

La masse paysanne, qui compte 80 % de la population, observa la lutte des étudiants avec passivité et dans une relative indifférence. Mais cette révolte de la jeunesse permit à un certain nombre de forces nouvelles d'apparaître au grand jour. La disparition du pouvoir fort et corrompu des maréchaux et son remplacement par le gouvernement de fonctionnaires d'un professeur d'université, le docteur Sanya, furent accueillis comme un retour aux libertés. Les étudiants, qui furent les premiers étonnés de la facilité avec laquelle ils avaient renversé les militaires, sont loin d'être des révolutionnaires. Leur principale revendication ne portait que sur le vote d'une nouvelle constitution. Le mouvement de ces révolutionnaires démocrates, à la mode du XIXᵉ siècle, a cependant permis à de nouvelles forces contestataires de s'exprimer.

Les étudiants devenus proches du pouvoir se sont divisés en plusieurs associations concurrentes, plus ou moins favorables à l'extrémisme ou aux accommodements. Les étudiants d'université sont plus modérés. Les élèves des collèges d'enseignement technique, plus fanatiques. Mais l'unité d'action sur certains thèmes reste toujours possible.

Le monde ouvrier commence à s'organiser. L'apparition d'un sous-prolétariat urbain, provenant d'un exode rural qui s'accélère, crée, surtout à Bangkok, une situation dangereuse. Devant la passivité de la majorité silencieuse des paysans, Bangkok reste le point politique sensible du pays.

Le chômage et les bas salaires sont à l'origine d'une série de grèves, notamment dans l'industrie textile et hôtelière. On assiste, depuis octobre 1973, à la naissance d'un mouvement syndical organisé. Les revendications portent essentiellement sur les augmentations de salaires, rendues urgentes par l'inflation qui est un phénomène nouveau dans ce pays. Certains grévistes ont demandé le renvoi de leur directeur jugé insuffisant. Dans tous les cas, le pouvoir a cédé, laissant apparaître la faiblesse du gouvernement actuel. Le processus accentué d'urbanisation et les difficultés économiques ont également provoqué un phénomène d'insécurité dans les agglomérations, notamment à Bangkok où l'ordre public cède le pas au banditisme et aux règlements de comptes entre bandes rivales.

Dans les campagnes et surtout dans la plaine centrale, les paysans eux-mêmes commencent à faire valoir leurs revendications et luttent contre un phénomène inquiétant d'accaparement des terres et la formation de latifundia. Un certain nombre de manifestations paysannes soutenues par les étudiants ont été organisées à Bangkok au cours des derniers mois, avec plus ou moins de succès.

A l'image des étudiants, des groupes de Jeunes Turcs s'organisent un peu partout, dans l'administration autour de l'« Association of civils servants » qui recrute parmi les jeunes fonctionnaires ; dans la police, on observe aussi parmi les jeunes officiers une certaine agitation. Un commandant a publié plusieurs ouvrages critiques qui ont fait un certain bruit. Seule l'armée ne semble pas encore connaître un tel phénomène et l'on continue de s'interroger sur la présence en son sein de jeunes officiers émules d'un coup d'État à la Nasser ou à la libyenne.

Pour l'instant, ces divers mouvements agissent isolément, mais en cas de crise grave, on peut être assuré qu'ils sauraient s'unir pour la défense des libertés. Il existe d'ailleurs un début de coordination parmi ces divers éléments contestataires, le « Groupe des Quinze » qui rassemble des organisations comme le F.I.S.T. (« Fédération of indépendant Student of Thaïland »), le « People for démocratie group », la « Civil liberty Union »...

A l'incertitude politique créée par l'apparition au grand jour de ces forces nouvelles, s'ajoute l'inquiétude que continuent de causer les divers mouvements de rébellion aux frontières. Dans le Nord-Est, il s'agit d'un mouvement d'inspiration communiste qui touche essentiellement les minorités ethniques installées dans cette zone. Aidée de l'extérieur essentiellement par les Nord-Vietnamiens et leurs alliés du

Pathet Lao, l'insurrection gagne lentement. On observe une augmentation de 12 % par an du nombre des hommes sous les armes.

Les insurgés sont surtout d'origine montagnarde ou lao, mais aussi quelques Thaïs habitant cette région ou venant de Bangkok. Le gouvernement thaïlandais ne mésestime pas les dangers que représente cette insurrection et tente d'apporter des remèdes à la sous-administration et au sous-développement de cette région. Une autre rébellion a vu le jour dans le Nord du pays. Elle touche surtout les tribus méo qui se sont soulevées par suite de la politique d'assimilation menée par Bangkok, ainsi que par l'interdiction faite aux Méo de cultiver l'opium, principale ressource de cette ethnie.

Le mouvement de rébellion auquel ont à faire face les autorités thaïlandaises dans les provinces musulmanes du Sud du pays paraît au moins aussi grave.

Trois groupes d'inégale importance entretiennent l'insécurité dans cette région. Les musulmans, les communistes et des bandes incontrôlées qui pratiquent la piraterie.

C'est la rébellion musulmane qui est la plus inquiétante. Elle profite du soutien de certains politiciens malais, notamment dans les provinces frontalières. Certes, le gouvernement de Kuala-Lumpur s'efforce de rester neutre, mais la structure fédérale de la Malaisie rend difficile un contrôle parfait des activités de certains activistes musulmans. Du côté thaï, on tente de rétablir la situation en réformant l'administration de ces provinces éloignées dont les richesses, caoutchouc, étain, et bientôt pétrole, sont indispensables à l'économie du pays. Ces efforts sont, jusqu'à présent, restés vains et le mouvement séparatiste gagne en crédit auprès des populations qui sont d'origine malaise.

Les frontières poreuses du pays, la possibilité d'un soutien aux rebelles de la part des nations voisines, Laos sous influence pathet, Birmanie incertaine ou Malaisie musulmane, et la proximité du Viêt-nam, risquent toujours de favoriser les forces de subversion.

LA THAÏLANDE ET LA FRANCE

La Thaïlande connaît peu la France. D'autres pays européens comme l'Angleterre ou l'Allemagne y ont une implantation plus ancienne ou plus importante.

Une tradition d'hostilité a longtemps marqué l'histoire des relations entre nos deux pays. La France avec la colonisation a contribué à arrêter l'expansion thaï au Cambodge. La politique française vis-à-vis de l'intervention américaine au Viêt-nam exprimée par le discours de Pnom Penh a été mal accueillie par le régime militaire de Bangkok.

Depuis la signature des accords de Paris, et a fortiori depuis l'installation d'un gouvernement civil, une volonté de marquer les distances avec les États-Unis a entraîné, chez les Thaïs, le désir d'un rapprochement avec la France. Ce sont surtout de bonnes intentions.

Certes la France est un pays influent dans le Marché commun et cela présente des avantages économiques, mais pour la Thaïlande, l'Angleterre et l'Allemagne sont, comme notre pays, des introducteurs possibles en Europe.

Certes la politique neutraliste de la France est une bonne référence dans le voisinage amical avec la Chine. Notre modération dans le conflit indochinois et notre influence maintenue, dans certaines limites, sur nos anciennes colonies, donnent un poids à notre amitié.

La France n'a pas d'autre intérêt à son égard que d'y nouer de profitables relations commerciales.

III.

Malaisie

La Malaisie a connu une histoire violente. Les cicatrices n'en sont pas encore fermées. Les éléments d'une nouvelle confrontation sont encore en place : opposition des communautés religieuses et raciales, partage géographique du pays entre la partie péninsulaire de Malaisie occidentale et la partie insulaire du Nord de Bornéo. Mais un régime politique souple et la richesse considérable du pays devraient faciliter la solution des tensions.

Un équilibre instable

L'opposition des communautés subsiste. Les statistiques donnent une forte majorité de Malais. Mais les chiffres sont très probablement exagérés en leur faveur. Malais musulmans 55 %, Chinois bouddhistes 34 %, Indiens 10 %. Les dernières émeutes raciales ne datent que de 1969. Les Chinois détiennent l'essentiel du pouvoir économique, les capitaux, les entreprises et le goût des affaires. Les Malais ont le pouvoir politique, l'armée et l'administration. Une politique systématique du gouvernement impose les Malais (ou Boumipoutras) dans la direction et dans le financement des affaires. Cela aussi bien par rapport aux étrangers que par rapport aux communautés chinoises.

Pour le moment, les Chinois se contentent de faire des affaires, même s'ils sentent que leur tranquillité est précaire. Ils misent sur la dynamique apaisante de l'expansion et sur la volonté réciproque d'éviter les confrontations. Mais l'histoire prouve que le nationalisme malais-musulman est violent. Comme son équivalent indonésien, il procède par bouffées imprévisibles de colère.

Les Chinois ont été responsables de la subversion communiste qui se recrutait presque exclusivement dans leurs rangs. Le régime conservateur qui les a vaincus conserve leur méfiance. Depuis les années cinquante, beaucoup d'entre eux sont maintenus dans des hameaux stratégiques. Aujourd'hui, le problème de l'insurrection est pratiquement résolu. Mais quelques maquisards se manifestent de temps en temps en faisant sauter des bulldozers. Il ne faut pas sous-estimer la réalité d'une propagande chinoise communiste qui tente d'éviter les thèmes racistes et dispose de bons arguments sociaux, ni le fait d'une jeune génération qui peut être séduite par le modèle de Pékin et lassée des brimades permanentes dont elle est l'objet de la part des Malais.

La division géographique de la fédération pose un grave problème.

D'abord économique, car la fédération malaise doit l'équilibre de sa balance commerciale au pétrole de Bornéo. Il existe aussi un élément racial et religieux. Dans les deux États de Bornéo, Sarawak et Sabbah, la population est d'origine protomalaise, les Dayaks animistes ou convertis au catholicisme. Une forte minorité de Chinois (30 %) tient l'économie. Les Malais musulmans (20 %) qui dirigent l'administration apparaissent à beaucoup d'égards comme de vrais colonisateurs. Le caractère artificiel de la fédération est évident. Mais une interaction d'éléments la maintient solidaire.

Les deux États de Sarawak et de Sabbah, dont l'histoire coloniale a été différente, manifestent peu d'attirance réciproque. A Sabbah, le poids politique de Tun Mustapha, « chief minister » de l'État, fausse le jeu. Celui-ci s'appuie artificiellement sur le fanatisme musulman. On lui prête le dessein paradoxal de quitter la fédération qui justifie pourtant sa politique d'islamination des populations dayaks. Il tente avec l'appui de certains pays arabes (on mentionne la Libye) de soutenir une révolte musulmane aux îles Soulous qui font partie des Philippines. Cela sans beaucoup d'espoir. Paradoxalement, l'existence politique de Tun Mustapha garantit le maintien de la fédération, empêche la fusion logique de Sarawak avec Sabbah devenu musulman. S'ajoute à cette mosaïque un autre facteur d'incertitude qui peut encore compliquer les choses, le sultanat de Brunei, riche en pétrole et encore protectorat anglais. Il sera un objet de convoitise lors du départ prévisible des Anglais, d'autant plus qu'avec un sultan impopulaire, le régime y est fragile.

A Bornéo, le jeu des religions, des personnalités politiques, des différences raciales — peut-on imaginer, malgré des siècles d'hostilité, que les Dayaks sachent s'unir aux Chinois riches pour faire place aux Malais colonisateurs ? — retrouve cette habileté à diviser qui faisait le ciment de la colonisation à la britannique. Mais ici, la logique de la sécession est par trop évidente pour qu'on ne puisse pas en tenir compte pour l'avenir.

UN RÉGIME POLITIQUE SOUPLE

Les Anglais ont réussi à mettre en place des institutions souples et pragmatiques qui évitent autant que possible les heurts. Le régime fonctionne. L'administration est compétente, la concussion limitée, les élites sont de qualité. Le système fédéral, très empirique, permet tous les accommodements. Progressivement et avec plus ou moins de force, l'administration centrale s'implante selon les situations locales. L'accommodement du formalisme démocratique à la base locale des États et d'une légitimité religieuse maintenue par le système des sultans, réussit un bon équilibre et évite les fanatismes du centralisme artificiel comme dans l'Indonésie de Soekarno.

La paix sociale garantie par un régime fort existe pour
l'instant. Elle permet de contenir les salaires. Néanmoins, le
népotisme et la féodalité qui subsistent sont, d'ores et déjà,
dénoncés par la jeunesse.

Les étudiants de plus en plus politisés prennent déjà à leur
compte les revendications des classes les plus défavorisées. On
ne peut exclure qu'un jour, ils s'engagent dans une action
comparable à celle qu'ont menée leurs camarades thaïlandais.

Le Premier ministre Tun Razak *mène une politique habile
d'équilibre* [1]. Il a intégré à son Front national, qui a gagné
confortablement les élections, un plus grand nombre de
partis chinois. Sur le plan international, il s'est rapproché de
la Chine communiste en échange peut-être de certaines
garanties de modération vis-à-vis de la communauté chinoise.
Les photos de la poignée de main Tun Razak-Mao ont été
largement diffusées pour faciliter le ralliement des communautés chinoises. Mais, d'un autre côté, il renforce la politique d'intégration des Malais à la vie économique. Jusqu'où
ne pas aller trop loin ? Certes, aucune communauté n'a
intérêt à la confrontation. Les Malais ne veulent pas risquer
un renforcement de la subversion communiste chinoise en
donnant des prétextes au racisme. D'autant moins qu'avec la
reconnaissance de la Chine et l'installation possible d'une
importante ambassade, le loup est dans la bergerie. En
revanche, les Chinois sont conscients de la nécessité de céder
progressivement leur monopole économique pour désamor-
cer la jalousie malaise.

La richesse du pays, l'expansion économique et l'habileté
des leaders expliquent le maintien de cet équilibre dont on ne
voit pas comment il pourrait, sans tragédie sanglante, s'achever.

Dans ses relations avec les États de la fédération, Tun Razak
agit sans à-coups. L'essentiel des décisions économiques
appartient encore aux États, ce qui peut créer des jalousies. La

1. Lorsque cette note de voyage a été rédigée, Tun Razak n'était pas décédé.

création d'un organisme pour la gestion des affaires pétrolières « Pétronas » a pour but de reprendre très progressivement
les droits des États en ce qui concerne le pétrole. Sa réussite,
dans un domaine particulièrement sensible, sera un test de la
bonne volonté des États fédérés. Le Premier ministre a su flat-
ter les susceptibilités personnelles du « chief minister » de
Sabbah en le nommant ministre de la Défense de la fédération. Il n'est pas sûr que celui-ci accepte, mais la face est
sauve.

La politique extérieure de la Malaisie reflète cette modération. Au sein de l'ASEAN, elle est le seul pays qui professe un
non-alignement véritable. Elle a maintenant des relations
confiantes avec toutes les grandes puissances, y compris la
Chine. Bien qu'elle fasse partie d'une alliance militaire, l'Accord des Cinq Nations, et qu'elle donne l'hospitalité à deux
escadrilles de mirages australiens, elle n'a jamais accueilli de
base américaine.

A l'intérieur du monde malais, Tun Razak a un certain
rayonnement. Il entretient de bonnes relations personnelles
avec le général Suharto. Une collaboration avec l'Indonésie
s'esquisse dans la lutte contre la subversion communiste de
Bornéo. Sur le plan politique et administratif, la Malaisie
apparaît mieux organisée que son voisin indonésien, même si,
démographiquement et économiquement, le pays est infini-
ment moins puissant.

Au sein de l'ASEAN, les conflits frontaliers sont dédramati-
sés. Malgré la politique particulariste de Sabbah, le gouvernement central refuse d'apparaître comme le soutien des révol-
tes musulmanes dans le Sud des Philippines et le Sud de la
Thaïlande.

La Malaisie a des relations privilégiées avec le monde
arabe. Elle insiste sur la fraternité religieuse de l'Islam. A
Kuala-Lumpur s'est tenue la cinquième Conférence islamique
des ministres des Affaires étrangères. L'ancien Premier
ministre de la fédération, Tunku Abbul Rahman, a été désigné comme président-fondateur de la Banque islamique,
installée à Ryad. Anecdote, mais significative : depuis trois

ans, c'est la Malaisie qui gagne le concours international de lecture religieuse du Coran. Des missions de prospection financière ont été envoyées au Moyen-Orient. La recherche, par les États pétroliers arabes, de possibilités d'investissements dans des pays détenteurs de matières premières, peut concerner la Malaisie.

Vis-à-vis de l'Europe, la Malaisie cherche à se détacher de l'ancienne influence anglaise. En nouant des liens privilégiés avec la C.E.E. elle veut se débarrasser de la tutelle économique excessive des Japonais ou des Américains.

Le grand atout de la Malaisie, c'est sa richesse en matières premières et l'importance de son potentiel économique. Elle n'a pas de problème démographique. Elle est le premier exportateur mondial d'étain, de bois, d'huile de palme et de caoutchouc. Elle peut nourrir sa population et conserve des structures agricoles traditionnelles qui sont indépendantes de l'évolution des grands marchés mondiaux.

Son revenu par tête d'habitant est l'un des plus élevés de la région, le quatrième. La Malaisie est un des pays du tiers-monde le plus favorisés. C'est cela qui explique la relative cohésion des communautés raciales dans l'espoir du maintien de ce potentiel d'expansion économique. Moins obsédée que l'Indonésie par ses désordres intérieurs, la Malaisie a, dans la région, un rayonnement incontestable et une politique extérieure prudente et modèle.

Vis-à-vis de l'étranger, les Malais ont pourtant une attitude relativement passive. Certes, ici encore, on cherche à trouver une alternative aux investisseurs japonais (les quatrièmes dans la fédération). Mais, après tout, si les Japonais ne sont pas populaires, ne représentent-ils pas une force économique autre que celle des communautés chinoises ? On ne veut pas dépendre non plus des capitaux américains, dont le poids politique risque d'être excessif. Capitaux européens ou capitaux arabes seraient les bienvenus. Mais les besoins ne sont pas considérables. Il n'y a pas, comme à Singapour, de propagande ou de recherche anxieuse. Si les Malais sont conscients que leur politique nationaliste d'intégration obligatoire d'un pourcentage de cadres et de capitaux malais dans les entreprises étrangères risque d'être un frein à l'investissement étranger, ils savent aussi que leur richesse en matières premières sera toujours un correctif aux réticences des étrangers.

La Malaisie et la France

La France est peu connue en Malaisie. Elle n'y a pas de passé colonial. Ses prises de position lors de la guerre du Viêtnam ont été mal comprises. La culture anglaise est omniprésente. Les réalisations industrielles de notre pays sont méconnues. Pour les Malais, nous restons le pays heureux de l'humanisme et du cognac.

L'Exposition française à Kuala-Lumpur, la visite de Valéry Giscard d'Estaing, alors ministre des Finances, ont été les premières manifestations spectaculaires d'une présence française. Presque tout reste à faire, à partir de ce coup d'envoi.

Pour les Malais, la France est un moyen d'aborder la C.E.E. et d'y nouer d'utiles relations commerciales. Mais les liens avec l'Angleterre sont plus proches. Notre influence en Indochine et notre passé asiatique peuvent avoir une grande utilité pour un pays qui veut élargir sa politique de neutralisation au Viêtnam réunifié, au Cambodge et au Laos. Les Malais respectent les positions neutralistes de la France qui ont précédé les leurs. Ils savent nos bonnes relations avec la Chine de Pékin. Les Malais apprécient que nous soyons en bons termes avec les pays musulmans arabes.

Pour la France, la Malaisie est un interlocuteur utile. C'est peut-être elle qui a le plus d'influence au sein de l'ASEAN. Elle a une politique neutraliste authentique qui rejoint nos thèses et que nous ne devons pas hésiter à encourager systématiquement, maintenant que des liens sont établis avec Pékin. Sur le plan économique, elle constitue un important réservoir de matières premières. Elle est plus accessible que l'Indonésie. Elle offre une bonne référence à notre amitié avec les pays islamiques. Son attitude modérée par rapport aux explosions du Pacifique nous a été profitable.

La Malaisie mérite que nous fassions un effort. Notre coopération culturelle et technique y est insuffisante par rapport au potentiel économique et à l'influence politique de ce pays.

Nous devons tenir compte de la structure fédérale du pays. Les Japonais savent le faire et leurs missions officielles sillonnent le pays. Il serait utile d'implanter la présence française dans les États de Bornéo, sans pour autant heurter le gouvernement central. Une présence française dans ces pays peu peuplés et peu développés, mais riches en matières premières, aura un impact considérable, disproportionné par rapport à l'effort consenti. On peut imaginer, par exemple, de réserver un contingent d'une ou deux bourses bien sélectionnées à ces États, d'y affecter un coopérant militaire, d'y lancer quelques invitations. Dès aujourd'hui, l'essentiel du pouvoir économique appartient aux États fédérés. Il est bon d'y être connu, ce qui est plus facile. Si demain ils sont conduits à l'indépendance, si des regroupements différents s'organisent, l'investissement en sera d'autant majoré.

IV.

Singapour

Singapour donne une impression d'efficacité et de réussite. Elle le doit à sa position géographique exceptionnelle, à la qualité de sa population chinoise et à l'efficacité d'un régime politique tendu presque exclusivement vers la réussite économique.

Mais le caractère artificiel de son existence suscite de légitimes inquiétudes.

La première impression que les Singapouriens veulent donner d'eux-mêmes et qu'ils réussissent à faire partager est celle d'une grande efficacité. « Business like » est la qualification favorite des conversations, même politiques, à Singapour. A questions précises, réponses précises et sans détours. Lucidité totale dans l'analyse des problèmes. Propagande insistante pour mettre en valeur les aspects positifs de l'entreprise singapourienne. On ne manque ni d'interlocuteurs compétents et habitués aux étrangers, ni de statistiques, ni de documents bien préparés, ni d'arguments. Chaque séance de travail avec les responsables économiques est une manière de psychodrame bien réglé pour susciter la conviction de l'interlocuteur abasourdi.

La ville en pleine expansion, parfaitement propre, bien ordonnée autour d'espaces verts, vestiges préservés des Anglais, offre un bel exemple d'urbanisme et de qualité architecturale rare en Asie. Les facilités de la vie occidentale,

communications, transports, confort, sont présentes et
mettent le visiteur de bonne humeur. Tous ces éléments
exigent qu'une correction soit apportée aux appréciations
souvent trop enthousiastes des missionnaires de passage.

Avec une population composée de près de 80 % de Chinois
(12 % de Malais, 8 % d'Indiens, quelques Européens) qui de
surcroît détiennent l'essentiel du pouvoir et de la compétence,
Singapour, malgré son insistance à mettre en valeur sa vocation multiraciale, est une cité chinoise qui tranche par rapport
à la relative torpeur du monde malais.

Gens venus de Chine continentale, à une ou deux générations, Chinois d'outre-mer, de Hong Kong, de Taïpeh, du
Viêt-nam, qui amènent leur compétence technique, leurs
capitaux, classe dirigeante chinoise de Singapour déjà occidentalisée par la colonisation britannique, ou anciens coolies
qui ont été entraînés dans cette aventure au nom d'une certaine identité raciale, Singapour constitue une société d'immi-
grants, unie et combative. Un peu comme en Israël, la cohésion vient de l'inquiétude. Comme en Israël aussi, l'efficacité
d'une diaspora dans un environnement artificiel asservi à la
logique de sa propre compétence.

Le système politique reflète ces données de fait. L'État de
Singapour, orgueilleux à juste titre de sa réussite, est
conscient de survivre grâce à une discipline rigoureuse et plus
ou moins volontairement consentie. Le Premier ministre
M. Lee Kuan You, n'hésite pas à le rappeler. Le Parti unique
(le « People's Action Party ») a la bonne conscience des partis
anciennement socialistes (Lee Kuan You est membre agissant
de l'internationale socialiste), ralliés par nécessité à l'efficacité
capitaliste. Les syndicats, étroitement contrôlés, collaborent,
au sein d'un conseil des salaires, à la définition de la politique
sociale d'un gouvernement autoritaire et paternaliste, qui sait
compenser, par des avantages sociaux et un vocabulaire
socialiste, la réalité d'un blocage autoritaire des salaires et une
paix sociale imposée. La police formée à l'école anglaise et
plus récemment par des experts de Taïpeh tient étroitement
l'île-Cité-État facilement quadrillée. L'apparence d'une

démocratie savamment entretenue apaise quelques oppositions.

Le Premier ministre Lee Kuan You est tout-puissant et
craint. Il évite le culte pesant de la personnalité, mais il est
omniprésent. Il est la conscience morale d'une cité puritaine,
hostile au relâchement des mœurs, à tout ce qui distrait de la
course au profit qui constitue encore dans une société en
expansion, dans une société où la mobilité sociale est encore
vécue et spectaculaire, le meilleur ciment de la cohésion. La
rudesse de l'équipe dirigeante permet par à-coups de redresser la barre et de changer les orientations. La population,
bien conditionnée par la propagande, bien encadrée par les
syndicats, le parti et peut-être les sociétés secrètes à la chinoise, peut à volonté — jusqu'ici — restreindre sa consommation,
développer la production, diminuer spectaculairement le taux
de natalité (de 2,7 à 1,7 %), acclamer les Japonais ou les
Américains et les dénigrer le lendemain... Des campagnes de
calicot des jeunes, enthousiastes et éduqués sportivement
(50 % de moins de vingt ans) pour soutenir les politiques
successives du gouvernement, rappellent étrangement leurs
homologues de Pékin ou de Taïwan.

La mécanique politique est bien rodée et efficace. Lee Kuan
You a créé un instrument qui, dans un contexte semblable, a
des chances de lui survivre et garantit la stabilité du régime.
Mais il est évident que sa personnalité joue un rôle de tout
premier plan.

Sur le plan économique, Singapour veut être une gigantesque société de services, de haute qualification technique. Il
ne s'agit surtout pas d'être simplement comme le Hong Kong
des années soixante, servi par un courant perpétuel d'immi-
gration, un réservoir de main-d'œuvre peu coûteuse et habile.
Ce serait à la fois risquer les pressions syndicales d'une main-
d'œuvre nationale stable et susciter des mesures de rétorsion
de la part des grands voisins, Malaisie et Indonésie qui dispo-
sent d'immenses réservoirs de main-d'œuvre. Singapour a
l'ambition de bâtir une économie complémentaire de celle de
ses voisins plutôt que concurrente, et espère bénéficier ainsi

de leur prospérité grandissante. Société de services, elle prétend faciliter le développement de la région. Elle veut offrir ses experts, ses réseaux commerciaux, ses facilités bancaires, la vitrine de ses réalisations exemplaires. Elle participe au financement des grands projets d'infrastructure des pays voisins, même apparemment concurrents (les ports malais et indonésiens qui devraient se substituer à Singapour dans le futur). Elle cherche à toujours maintenir une avance technologique dans les créneaux que laisse encore disponible le relatif retard de ses voisins.

Sur le plan politique, Singapour veut avoir une politique de bonne entente avec ses voisins malais et indonésiens, et avec les nations de la région par l'intermédiaire de l'ASEAN dont elle est un membre assidu et dont elle soutient les aspirations neutralistes.

Les relations avec la Malaisie sont teintées de susceptibilité réciproque. Elle réussit peut-être mieux avec l'Indonésie. Les généraux et les notables d'Indonésie ont leurs comptes en banque à Singapour et viennent s'y faire soigner. Paradoxalement la rupture avec la Malaisie, interland traditionnel de Singapour, l'a rapprochée de l'Indonésie. Il est certain que Sumatra trouve plus facilement à Singapour une capitale régionale qu'à Djakarta.

Avec prudence, Singapour remplit son rôle de capitale provisoire de la diaspora chinoise... la troisième Chine après Pékin et Taïpeh. Elle tire profit du réseau financier et commercial privilégié que tissent entre elles les communautés chinoises dans le monde.

Elle cherche à diversifier sa dépendance économique par rapport aux États-Unis et au Japon, en manifestant très clairement la volonté d'intéresser l'Europe à ses affaires.

La survie de Singapour, malgré la brillante démonstration qu'offre sa spectaculaire réussite en deux ans d'indépendance, pose un certain nombre de problèmes.

Insérée géographiquement dans le monde malais, Singapour est rejetée par lui et reste indéniablement une enclave chinoise, très occidentalisée dans cette partie du monde. Elle fait des efforts pour prouver le contraire. Son ministre des Affaires étrangères est indien et quelques-uns de ses hauts fonctionnaires en relations avec l'étranger sont ostensiblement non chinois. Les pays voisins à majorité malaise ont toujours le moyen de gêner le développement de l'île et même, dans des circonstances plus graves, de l'isoler. Singapour dépend encore de la Malaisie pour son approvisionnement en eau et sa main-d'œuvre non qualifiée.

L'Indonésie, comme la Malaisie, constate avec un certain dépit la réussite de Singapour et espère que le développement futur de son économie lui permettra de se passer d'elle. Le nationalisme de l'Indonésie et de la Malaisie est ombrageux, parfois outrancier. L'existence de communautés chinoises importantes dans ces deux pays avec lesquelles les Singapouriens ont d'étroits liens personnels et d'affaires est un élément supplémentaire de méfiance.

L'État chinois de Singapour n'entretient pourtant pas les meilleurs rapports avec les divers éléments de la réalité chinoise. Singapour continue de manifester une grande réserve à l'égard de la Chine populaire. Elle conserve des liens d'affaires et finalement une grande sympathie pour le régime de Taïpeh. Lee Kuan You, qui ne veut pas gêner l'Indonésie encore réticente, prétend que son pays sera le dernier, parmi les nations de l'ASEAN, à reconnaître Pékin.

Les communautés chinoises avoisinantes, qui s'intéressent à l'avenir économique de Singapour, prennent un recul politique par rapport à ce greffon chinois qui risque de cristalliser des haines raciales sans pour autant leur offrir de protection, alors qu'ils essaient tant bien que mal de maintenir un *modus vivendi* avec le monde malais.

Lee Kuan You a procédé systématiquement à une déculturation chinoise, à une occidentalisation de la population. Cela a provoqué des protestations chez les anciens pour des raisons traditionnelles. Mais aussi chez les plus jeunes et les plus politisés qui s'inquiètent d'être, dans cette région du monde, les exilés d'une culture étrangère. Ce thème peut devenir un thème d'opposition. Il semblerait que Lee Kuan You ait été contraint de reculer, sur ce point, et de donner satisfaction aux partisans de la culture chinoise.

Malgré ses protestations de neutralisme, Lee Kuan You soutient publiquement — et il nous l'a redit en conversation privée — le maintien des bases américaines dans la région et ses amitiés comme finalement sa philosophie politique — combinaison antinomique de socialisme autoritaire et de capitalisme sauvage — le rapprochent de Taïpeh.

La visite du Premier ministre de Malaisie, Tun Razak, à Pékin n'a pas réjoui Lee Kuan You. L'opposition entre un neutralisme plus authentique, celui des Malais, reconnu par la Chine populaire, et les positions artificielles des Chinois de la République de Singapour, ont été discrètement soulignées. La Chine vise à long terme l'établissement de relations de coexistence pacifique avec le monde malais, sans trop se préoccuper de l'épiphénomène que représente le régime de Lee Kuan You. En effet, au sein du monde malais qui veut s'organiser, Singapour n'est-il pas condamné à long terme à la désertion de ses élites, à la fuite de ses capitaux, à l'étiolement de son économie ?

Sa position géographique exceptionnelle, l'existence d'un port, le quatrième du monde, ont donné à Singapour une chance dont elle a su profiter pendant que ses grands voisins vivaient une situation politique de désordre. Mais, aujourd'hui, ils connaissent une relative stabilité et la hausse du prix des matières premières leur permet d'accélérer ce processus. Leur nationalisme économique se conforte. Singapour tente d'y répondre par une fuite en avant, dans la technologie et dans l'efficacité des services, de plus en plus hasardeuse.

Elle a été un des principaux bénéficiaires du boom économique suscité par la guerre du Viêt-nam. Les capitaux des Chinois d'outre-mer sont venus là en profiter. Ils peuvent être tentés de déserter dès les premières menaces d'incertitude politique ou économique, et risquer de saper ainsi la base financière de Singapour.

D'ailleurs le régime de la nationalité de Singapour —

malgré l'éducation nationaliste que reçoivent les enfants —
symbolise cet aspect artificiel. On peut devenir citoyen de
Singapour en faisant un investissement d'un quart de million
de dollars ou en possédant un haut niveau de compétence
technique. A l'inverse, on peut facilement être banni pour
opposition politique...

La qualification très élevée de la population pour laquelle
un effort d'éducation très considérable a été fourni, risque de
créer un phénomène de fuite de la matière grise, chez ces
spécialistes recherchés. La situation économique est particulièrement sensible à l'évolution internationale. La situation
sociale en dépend. La hausse des salaires ne peut être indéfini-
ment contenue. Dans les pays voisins des opportunités existent. A l'inverse on est obligé de plus en plus de faire appel
pour les basses tâches à une main-d'œuvre fluctuante venue
d'ailleurs, dont on cherche à diversifier l'origine (Malais,
Indonésiens, gens du Bangla-Desh) mais qui risque de créer
des troubles. Le haut niveau d'éducation qui est donné à la
population de Singapour peut entraîner une plus grande
conscience politique. Il ne faut pas oublier qu'il y a vingt ans,
Singapour fut un centre d'agitation sociale. Des remous
sociaux sont possibles, et sans paix sociale Singapour perdra
un de ses arguments essentiels pour attirer les capitaux.

L'importance des investissements américains et des investissements japonais pose un problème de politique étrangère.
Les Singapouriens en sont conscients. Mais s'ils cherchent à
attirer les investisseurs du monde entier, notamment européens, mais également arabes (le ministre des Affaires étrangères a fait la tournée de rigueur dans les pays du Moyen-
Orient), ils restent fidèles à l'amitié américaine et font manifester les étudiants en faveur de Tanaka lors de son passage
(fait unique en Asie et ostensiblement à contre-courant de
l'accueil des autres capitales).

Tout cela explique à la fois la qualité de la propagande à
laquelle sont soumis les visiteurs étrangers et l'anxiété avec
laquelle les Singapouriens cherchent à plaire aux investisseurs
potentiels. Ils sont conscients de leur situation précaire

comparée à celle de leurs voisins et du fait que la marge est bien étroite entre la complémentarité de leurs économies, qu'ils proclament, et la concurrence de fait qui existe de plus en plus. Il n'est qu'à voir l'anxiété avec laquelle, à notre passage de retour, les responsables singapouriens nous interrogeaient sur nos impressions de Malaisie et tentaient d'en corriger ce qu'il y avait de positif.

L'inquiétude existe. On la perçoit chez les dirigeants, même si les déclarations sont souvent optimistes et les statistiques relativement encourageantes. Une société qui s'est voulue le symbole du capitalisme le plus sophistiqué, celui des services et de la haute technologie, du libre échange international, et de l'efficacité à l'occidentale dans cette partie du monde, s'inquiète de la remise en cause générale de ces valeurs quand la crise économique pose le problème de la liberté du commerce, quand les nationalismes surveillent les frontières et se passent d'intermédiaires, quand l'Amérique et quand l'Occident s'éloignent du Sud-Est asiatique.

Pour elle l'avenir exclut probablement les risques d'une réunion forcée à la Fédération malaise. L'ASEAN a tempéré les conflits. A long terme Singapour risque simplement de perdre progressivement ses raisons d'exister ; d'être abandonnée par les élites qu'elle a formées, par les capitaux qui s'y sont intéressés un temps. Sous l'effet de pressions sociales le régime devra s'adoucir, s'accommoder de l'environnement, perdre l'attrait qu'il exerce sur les affaires. La ville peut un jour être condamnée à l'étiolement économique et politique et à un retour éventuel à la Fédération, pour manque d'usage (mais l'existence d'une importante population chinoise peut freiner ce mouvement).

Singapour et la France

Il est évident que les gens de Singapour cherchent à attirer les investisseurs, avec toutes les séductions possibles. La France est l'un de ceux-là.

Certes, l'Europe a droit à une préférence, au moins théorique, dans la mesure où Singapour cherche à diversifier ses liens économiques et à ne plus dépendre de la quasi-exclusivité de la présence américaine et nippone. La France est un excellent introducteur, au sein de l'Europe. Lee Kuan You nous a rappelé sa thèse favorite selon laquelle les anciennes puissances coloniales doivent continuer de jouer dans la région un rôle d'équilibre. Quand il s'agit de la Grande-Betagne, de la France ou des Pays-Bas, on comprend l'avantage de ces références historiques pour le renforcement des liens préférentiels entre Singapour et la C.E.E. La France a droit à une cour particulière. Ses références neutralistes sont un atout supplémentaire. Notre pays n'a pas été compromis par la politique américaine en Asie. Les nations de l'ASEAN en sont conscientes et nous marquent une faveur nouvelle.

Lee Kuan You a été personnellement séduit par l'accueil qu'il a reçu à Paris et par les longs entretiens qu'il a eus avec le président de la République et le Premier ministre.

Tout cela n'indique rien de bien concret, simplement de véritables bonnes intentions. La présence américaine et la présence japonaise écrasantes restent vigilantes.

Certes la colonie française à Singapour est de bonne qualité. Ce sont des gens jeunes qui font des affaires. Les entreprises françaises ont bonne réputation et grâce à un bon réseau bancaire français ont toutes les contacts nécessaires. Les jeunes Singapouriens font un effort pour apprendre notre langue ; cela correspond au désir de la République de diversifier tous azimuts ses intérêts économiques. Il est bon que la France soit présente commercialement au cœur de la troisième Chine, celle qui est répandue à travers le monde, d'autant plus qu'on nous crédite de nos bonnes relations avec Pékin et de notre présence traditionnelle en Asie.

Mais politiquement, il ne paraît pas évident qu'au sein de l'ASEAN la France ait intérêt à manifester une faveur particulière pour Singapour, en dépit de la séduction véritable qu'exerce son Premier ministre. Par sa nature et par sa fonction, Singapour est plus un État-entreprise qu'une nation

véritable. Les journalistes asiatiques aiment à brocarder
« Singapour Incorporated ». La république de Singapour est
plutôt une survivance des migrations chinoises du siècle
passé, du reflux colonial, du reflux de la présence militaire et
économique de l'Occident, qu'une nation porteuse d'avenir.
Elle a probablement plus à attendre de la France que la
France n'a à attendre d'elle.

V.

Indonésie

Malgré son incohérence géographique (4 000 îles, étendues sur près de 5 000 kilomètres de longueur), l'Indonésie est un pays qui existe, un monde à part, enraciné en lui-même et relativement imperméable aux influences étrangères.

Le contraste que semble donner son histoire récente, d'un régime abandonné progressivement par Sukarno au Parti communiste d'obédience chinoise, puis repris en main par Suharto sous tutelle américaine, après la contre-révolution de 1966, est une image à la fois simpliste et fausse. La réalité indonésienne, en aucune manière, ne saurait se réduire au jeu de forces étrangères.

Cent trente millions d'habitants qui pourraient presque doubler d'ici vingt-cinq ans constituent un univers. La population est jeune, concentrée pour l'essentiel dans l'île de Java qui compte déjà environ 100 millions d'habitants. Sumatra est moins peuplée, 20 millions d'habitants. Kalimantan n'en a que 4. Bali mise à part, les 4 000 îles qui restent sont ou trop petites ou pratiquement inhabitées.

La population est restée en grande majorité rurale, ce qui garantit une certaine stabilité sociale mais n'exclut ni la violence ni la cruauté des rébellions ou des répressions. On l'a vu à l'occasion de la prise de pouvoir de Suharto et de l'élimination des communistes, donnant lieu à des scènes d'une incroyable violence. Bali, surtout, la pacifique, a été le théâtre des plus parfaites cruautés. Une tradition de solidarité familiale et villageoise, le « Gotong Goyong », atténue les différences sociales et estompe la misère. Les effets de surpeuplement sont adoucis par une relative cohésion sociale, soulignée par les observateurs optimistes du traditionnel « socialisme asiatique ».

Ces traditions rurales dureront tant que le surpeuplement ne sera pas excessif, que la migration vers les villes restera un mirage possible, que les structures du passé n'auront pas été mises en cause par les progrès de l'information ou de l'éducation, la mobilité et la profonde mutation de la jeunesse.

L'Indonésie, comme tous les pays de l'Asie du Sud-Est, a des problèmes de minorités, mais ici ils sont moins graves et la population d'origine malaise reste très largement majoritaire. Les Chinois sont relativement peu nombreux, environ trois millions. Certes leur pouvoir économique est considérable, pourtant leur situation politique reste précaire, à la merci permanente d'un pogrom. Le pouvoir n'hésite pas à détourner vers eux le mécontentement populaire. La population assimile indifféremment les Chinois aux infiltrations communistes suscitées par Pékin, ou au capitalisme « comprador » des petits boutiquiers, des usuriers paysans, ou des grands hommes d'affaires et banquiers qui sont de connivence avec les potentats du régime. L'anéantissement du Parti communiste (P.K.I.) en 1966 a servi de prétexte à des règlements de comptes raciaux. Des lois inégales subsistent : dans les universités les examens sont plus durs, pour les Chinois trop doués pour les études. Les pourcentages de participation des Chinois dans la direction et le capital des entreprises sont réduits par la loi. Une réelle solidarité existe entre les Chinois d'outre-mer. Ils ne sont pas tous riches et, brimés, exclus du pouvoir politique et de la société indonésienne, gardent la tentation d'affirmer leur identité en se tournant vers la Chine de Pékin.

Les autres minorités sont disséminées dans les îles : Dayaks
à Bornéo, Bataks à Sumatra, Papous en Nouvelle-Guinée.
Combattants valeureux, mais divisés en tribus hostiles, ils ne
savent pas s'unir pour refuser la suprématie de fait des Javanais. A Sumatra, par exemple, qui a une population suffisante
et des traditions assez anciennes pour revendiquer son autonomie, l'opposition permanente des Bataks, des habitants
d'Atjeh, des éléments proprement malais renforce cette
suprématie.

10 millions de chrétiens ont été convertis par les missions
portugaises et hollandaises de la colonisation. Leur influence
est importante. Aux îles Moluques, certains d'entre eux — qui
ont été utilisés par les Hollandais pour assurer leur domination sur les Javanais — gardent la nostalgie de l'indépendance
qui leur avait été promise.

Le départ des Hollandais a ressemblé plus à une liquida-
tion de comptoirs dispersés qu'à la fin d'un empire. On doit à
Sukarno la création d'une nation, l'invention d'une langue, la
réussite d'un État unitaire : malgré les distances, les diversités
raciales, les incompatibilités historiques d'une multiplicité
d'îles dont les raisons de vivre ensemble, après l'indépendance, n'étaient pas si évidentes.

A l'image de ce qu'ont fait successivement les Hollandais,
puis les Américains, l'étranger peut avoir la tentation de
soutenir les minorités, d'attiser les séparatismes régionaux, de
susciter d'autres pôles d'attraction. A Bornéo, les infiltrés
communistes viennent des États voisins de la Fédération
malaise qui parfois éprouvent des velléités d'indépendance.
Pékin peut utiliser les communautés chinoises, brimées en
Indonésie, mais presque majoritaires en Malaisie ; l'île de
Sumatra est bien proche de la péninsule malaise. Les Indonésiens s'inquiètent de l'évolution de la Malaisie, interviennent
à Timor, parce qu'ils craignent que la naissance de foyers de
contagion ne remette en cause la solidarité difficile à garantir
d'un archipel sans frontières.

La situation économique s'améliore. L'ère sukarnienne s'était achevée, avec un taux d'inflation de 650 %, en faillite financière. L'aide étrangère, le moratoire inspiré par les Américains ont rétabli l'équilibre. Un nouveau régime plus conforme aux intérêts occidentaux a rétabli la confiance. Le boom pétrolier a fait le reste. Comme tous les pays producteurs de pétrole, l'Indonésie a pu penser atteindre le seuil du décollage économique grâce à l'accroissement soudain et spectaculaire de ses revenus. Cependant les problèmes fondamentaux n'ont pas disparu. Une aisance financière relative ne saurait effacer les blocages du développement. D'autres pays pétroliers en ont fait l'expérience. L'euphorie pétrolière est retombée. D'ailleurs l'Indonésie a toujours eu au sein de l'O.P.E.P. une attitude modérée, conforme aux vues américaines, et, dans ses relations avec les compagnies pétrolières étrangères, une grande prudence partiellement justifiée par la nécessité de les inciter à étendre leurs champs de prospection.

La catastrophe financière de « Pertamina » qui reçoit l'ensemble des revenus pétroliers a révélé que tout n'était pas possible. Une mauvaise gestion, des engagements financiers trop divers et trop importants, des perspectives d'investissement trop grandioses, un endettement excessif ont conduit à retrouver un rythme de croissance plus pondéré.

L'administration est pesante. Les décisions sont parfois irrationnelles, malgré la tutelle des experts de la BIRD qui veillent à l'utilisation des créances étrangères. Le pouvoir politique — en l'occurrence militaire — reste en général prudent en matière de gestion économique. Cependant le général Suttowo, président de Pertamina, a fait preuve d'une mégalomanie que n'aurait pas désavouée Sukarno. L'absence de techniciens, de petits cadres et d'ouvriers spécialisés aux niveaux intermédiaires, d'experts au niveau supérieur constitue un frein au développement que ne saurait corriger la mansuétude très politique de la communauté internationale, l'accroissement brutal des ressources ou même la confiance toujours épisodique des investisseurs.

La restauration de son crédit international est l'atout
maître de l'Indonésie de Suharto. Les « technocrates »,
gestionnaires de bonne qualité formés aux États-Unis, y veillent avec des méthodes économiques orthodoxes. Tout a été
mis en œuvre, dans l'affaire de Pertamina, pour rassurer la
communauté internationale, au risque d'un ralentissement de
croissance suscité par la réduction brutale des dépenses, et des
projets. La confiance internationale est la base d'une politique économique qui repose pour l'essentiel sur des méca-
nismes libéraux et une ouverture vers l'extérieur. L'Indonésie
aura encore besoin, pour quelques années encore, d'une aide
étrangère et, d'une manière plus générale, d'un apport sub-
stantiel sous diverses formes, de capitaux et de techniques
étrangères. La Banque mondiale qui a longtemps fait figure
de gouvernement de l'Indonésie nouvelle a perdu son rôle
prédominant, mais maintient son droit de regard. Depuis le
boom pétrolier, elle se fait plus discrète, moins ouvertement
américaine (son nouveau directeur est un Français).

Les industriels étrangers constatent avec satisfaction
l'émergence d'une Indonésie moderne bien différente de l'Indonésie brouillonne de l'ère sukarnienne. Les statistiques
chiffrent une amélioration quantitative – mais comment ce
progrès est-il perceptible au paysan acculé par la raréfaction
des terres, au déraciné des villes ? Cette industrialisation
suffit-elle à assurer les bases d'une croissance harmonieuse ?
Le problème est posé.

La stabilité politique est réelle. L'opposition a été anéantie,
les réseaux du P.K.I., démantelés, ses partisans assassinés.
Plus de trente mille prisonniers politiques sont encore incar-
cérés. Néanmoins vingt ans de sukarnisme n'ont pu être totalement effacés. La rancune des familles meurtries ne disparaî-
tra pas. La population traumatisée par la révolution flam-
boyante de Sukarno ou la contre-révolution tragique de
Suharto a certainement une expérience politique, même si,

pour le moment, aucune organisation — autre que le pouvoir qui fait une propagande active et quadrille les campagnes — ne sait l'utiliser. Les étudiants sont tentés par un libéralisme vague. Complices d'une véritable internationale étudiante asiatique, ils reprennent les revendications des universités thaïs ou malaises : lutte contre corruption, extension des libertés individuelles, justice sociale. Mais sous la surveillance de la police, il leur est difficile de s'organiser.

Les manifestations de janvier 1974, à l'occasion du voyage de Tanaka, ont révélé des éléments d'opposition potentielle, mais la répression a été brutale. Les dirigeants sont restés vigilants. Est-ce un prétexte au durcissement après des tentatives prudentes de libéralisation ? Est-ce la crainte que n'explosent brutalement trop de problèmes non résolus ? Même si on a prétendu accélérer et étendre les réformes sociales, l'ordre est d'abord revenu, plus rigoureux qu'auparavant. Certes des prisonniers politiques ont été libérés pour satisfaire le Congrès américain, mais avec suffisamment de discrétion pour ne pas ameuter l'opinion ou mécontenter les plus répressifs d'entre les militaires. Le régime est contraint de rester policier. La police y est efficace, héritage du sukarnisme et — dit-on — d'une certaine formation soviétique.

Le général Suharto, chef sans charisme, prétend gérer le pays en bon père de famille, sans véritable popularité personnelle. Les Indonésiens, selon la tradition javanaise, lui portent un respect naturel. A son crédit, la remise en ordre et la relance de l'économie. Certes il n'est pas irremplaçable, mais lui seul peut-être, dans le système qu'il incarne, sait maintenir un équilibre fragile entre les forces concurrentes.

L'armée se sent liée à son destin. Il en étouffe les factions, en rassemble les tendances en jouant fort habilement l'arbitre. Les généraux se sentent maintenant ses redevables. Il freine les ambitions personnelles et les popularités excessives des chefs militaires. Ainsi, il a profité des manifestations de 1974 pour écarter le général Sumitro qui faisait un peu figure de libéral. En supprimant l'autonomie des chefs d'armes, évitant ainsi les surenchères entre armes concurrentes, la popularité, et les tentations de démagogie de chaque général parmi ses troupes, il a limité les risques permanents de coup d'État.

L'armée est relativement mal équipée avec du vieux matériel soviétique. L'aide militaire officielle américaine portée à 40 millions de dollars est surtout consacrée à la défense navale. Vingt avions américains démodés, du matériel arraché à la débâcle vietnamienne complètent un dispositif modeste. Selon certains, le général Suharto n'est pas toujours mécontent de maintenir l'armée en état de relative faiblesse. Cette insuffisance explique la lenteur de l'attaque sur Timor.

Politiquement l'armée a le pouvoir. Elle est partout présente. Même si pour faire meilleure figure internationale, les généraux membres du gouvernement se sont déguisés en civil. En province, les gouverneurs sont militaires, les responsables de village, militaires ou anciens militaires. Les postes de contrôle de l'armée quadrillent le pays. Un système de cooptation évite l'infiltration de contestataires. Les jeunes capitaines — mythe contemporain des armées du tiers-monde — auraient plus tendance à réclamer des avantages matériels qu'à rêver d'instaurer un régime social différent. Les généraux veillent d'ailleurs à les associer aux « profits parallèles ».

Le président Suharto doit tenir compte de l'armée, la rassurer. Ainsi il ne pouvait pas condamner trop brutalement le général Suttowo, militaire loyal et influent, pour la gestion désastreuse de Pertamina, sans infliger un dangereux camouflet à l'armée tout entière.

Le pouvoir indonésien a une manière de légitimité. Ce serait une erreur que d'assimiler Suharto à un général Thieu ou à un maréchal Lon Nol, créés et soutenus par les Américains. La vie politique indonésienne ne se limite pas à l'anticommunisme. L'armée indonésienne a ses racines dans les combats de l'indépendance. Les soldats et les généraux — dont Suharto — se sont battus — souvent dès l'origine — aux côtés de Sukarno, « Père de la patrie ». Le coup de 1966 a été rendu nécessaire — selon eux — parce que l'absolutisme de

Sukarno s'était détourné de l'authenticité indonésienne et des principes constitutionnels qui avaient fondé la république. Nul ne saurait nier l'authenticité de leur nationalisme et leur méfiance devant les ingérences étrangères. Tout au long de la période sukarnienne, ils avaient vécu en harmonie apparente avec les communistes, dans le souvenir des combats de l'indépendance et par la vertu du nationalisme. La rupture de 1966 a créé un choc brutal que justifiait la lutte nationaliste contre le « parti chinois ».

Face à l'armée, les technocrates. On les surnomme la « maffia de Berkeley ». Effectivement ils ont été imposés par les créanciers américains et la BIRD. Sans assises politiques, ils ont pour eux la raison économique, la faveur des Occidentaux dont ils sont les interlocuteurs naturels, et surtout l'appui de Suharto dont ils représentent la bonne conscience civile et auquel ils assurent un contrepoids au pouvoir des militaires. Après dix ans de pouvoir, ils ont su oublier l'enseignement des universités américaines et retrouver eux aussi des réflexes nationalistes sinon parfois xénophobes.

Technocrates contre militaires, vieux militaires contre jeunes officiers, il y a peut-être là l'amorce de conflits. Mais les intérêts communs sont nombreux. Suharto prend soin de ne s'associer à aucun des clans et de les rassurer tous.

Cependant l'opposition entre deux stratégies de développement s'esquisse. Les militaires auraient plus volontiers le goût de la croissance accélérée, des dépenses de prestige aux retombées politiques, la volonté d'améliorer les conditions de vie. Ils se méfient de l'intrusion des experts étrangers, des investisseurs à la recherche du profit immédiat exploitant les ressources nationales. A leur manière ils retrouvent un certain nationalisme social incompétent et généreux à la Sukarno. La gestion débridée de Pertamina a exprimé ce type de stratégie économique.

Les technocrates croient plus à la stabilité financière, aux démarches prudentes qui pourront rassurer l'étranger, le créancier comme l'investisseur. Ils préfèrent avec des taux modestes maintenir le rythme de la croissance sans risquer

par des progessions brutales d'entraîner les désillusions du
rêve.

Et pourtant, comme partout en Asie du Sud-Est, la passivité populaire garantit la stabilité du régime autant qu'elle
mesure sa fragilité. Le silence versatile des majorités silencieu-
ses ne retient les régimes et ne les approuve que tant qu'ils
sont là. En Indonésie, les oppositions virtuelles sont grandes
mais pour le moment aucune force ne les canalise.

Il sera difficile à l'Indonésie de résoudre les problèmes du
surpeuplement que suscite un taux excessif d'accroissement
démographique (2,6 %) sur lequel le contrôle des naissances —
dans un pays musulman — n'a aucune prise. A Java la densité
de population est la plus forte du monde. Malgré les tentatives de transmigration, vers d'autres villes, organisées par le
gouvernement, les paysans refusent d'abandonner leurs
terres. C'est à Java, fourmilière, que se dessine de fait l'avenir
politique de l'Indonésie.

Le niveau de vie est bas : 1 dollar par jour pour une famille
de 5 ou 6 personnes. La faim approche. Les paysans sont trop
nombreux à s'arracher des rizières.

La tradition javanaise et la réforme agraire de Sukarno ont
certes détruit les grandes propriétés, mais de fait, par le jeu
subtil de fermages, de prête-noms, de contraintes usuraires, il
y a encore dans les campagnes des grands propriétaires qui
louent des rizières. Les surfaces infimes — selon nos critères
européens — ne doivent pas faire illusion, dans un pays ou un
are de rizière nourrit une famille. Usuriers, tracasseries et
concussions des fonctionnaires, abus de l'armée, souvenirs
des règlements de comptes sanglants de 1966, ne maintiennent dans les campagnes qu'une paix précaire.

L'inflation, la désorganisation des circuits commerciaux de
vente du riz peuvent accélérer l'expression des mécontentements.

Il n'est pas étonnant que dans l'Est trop peuplé de Java — et pourtant relativement riche — on trouve une tradition toujours vivante de maquis communistes.

Les jeunes, les paysans sans terres, attirés par le mirage des villes, viennent grossir leur misère et leur désorganisation. Djakarta est une ville de plus de 5 millions d'habitants, sans commodités urbaines, où les bidonvilles s'étendent. Coupé de ses racines, de sa famille qui assurait une certaine subsistance, le prolétariat des villes ressent plus durement la pauvreté et le chômage qui s'étend. Il est disponible pour on ne sait quelle aventure, et plus difficilement contrôlable. Il considère sans espoir la naissance d'une opulence à laquelle il ne pourra pas participer.

L'Indonésie souffre d'une corruption parfaitement « démocratisée », c'est-à-dire répartie à tous les échelons entre ceux qui ont des titres à en profiter. L'armée n'y échappe pas. Elle rançonne les campagnes et abuse de privilèges qui la rendent impopulaire. Au sommet elle pratique le « taux de concussion » le plus fort peut-être d'Asie. Les purs y sont rares. On ne saurait cependant sous-estimer le risque d'un bouleversement du régime par la volonté de jeunes officiers nationalistes. L'ambassadeur américain — qui ne l'exclut pas — constate : « Par définition, s'ils sont sérieux, on ne les connaît pas, avant qu'ils ne prennent le pouvoir. »

A l'image de tous les pays de l'Asie du Sud-Est qui, après le reflux de la décolonisation et le retrait américain, redécouvrent une sorte de chauvinisme asiatique, l'Indonésie a la tentation de se raccrocher à ses valeurs nationales. Une réaction de xénophobie plus ou moins violente y est toujours possible. Les manifestations anti-japonaises de 1974 en ont fourni le premier signe. Étudiants et chômeurs ont perturbé le voyage du Premier ministre japonais, pour manifester leur xénophobie et leur refus d'un certain type de société de consommation et de capitalisme sauvage que symbolise le Japon. La loi indonésienne doit s'incliner devant les revendications nationalistes, même si celles-ci freinent la confiance des étrangers ou l'efficacité économique. Ainsi elle exige que les cadres des entreprises, et la majorité du capital soient de nationalité indonésienne (et non exclusivement d'origine chinoise). Les Pribumis (Indonésiens d'origine) comme les Bumiputras en Malaisie sont favorisés.

En Indonésie, l'Islam, la religion de 80 % de la population, est à l'avant-garde de ce renouveau nationaliste. La renaissance du nationalisme indonésien, avant la deuxième guerre mondiale, s'était déjà inspirée de la renaissance de l'Islam. Aujourd'hui l'Islam militant s'associe aux triomphes du monde arabe comme à l'orgueilleuse prise de conscience de certaines civilisations du tiers-monde.

Les partis musulmans sont hostiles aux réformes qui conduiraient à une occidentalisation des mœurs : libération de la femme, relâchement de la cellule familiale, contrôle des naissances. Les Ulémas, prêchant dans les mosquées, risquent de constituer le noyau dur d'une opposition. Ils avaient traditionnellement tous les pouvoirs sur la communauté musulmane et dans ce socialisme archaïque, détenaient de fait la gestion des biens communautaires. Le libéralisme économique les effraie et ils n'hésitent pas à en dénoncer l'injustice sociale qui s'oppose à leur paternalisme.

Il a fallu beaucoup de magie verbale, d'incantations, de coups de théâtre internationaux pour que Sukarno parvienne à maintenir ensemble des forces politiques opposées et chacune bien implantée, le Parti communiste, les nationalistes, les musulmans. Aujourd'hui la rupture est consommée. L'idéologie de la croissance, dans un pays si complexe, suffira-t-elle à maintenir des solidarités indispensables, quand aux alentours l'environnement international se durcit, et qu'à l'intérieur le progrès économique se traduit mal en justice sociale ?

L'Indonésie a marqué la politique internationale de toute une période. Elle a été l'un des pays inventeurs du tiers-monde et du neutralisme. Contre les États-Unis, héritiers des puissances coloniales, contre l'U.R.S.S. qui voulait confondre les luttes d'indépendance et la guerre froide, la conférence de Bandoeng en 1955 a marqué la prise de conscience d'une solidarité au moins sentimentale des nations anciennement colonisées. De ce passé il reste des traces.

L'Indonésie est neutraliste. Bien qu'aujourd'hui la balance penche plus nettement vers les États-Unis. Dans l'esprit des dirigeants indonésiens, il ne faut pas confondre l'anticommunisme qui est une attitude en politique intérieure et l'ordre occidental qui est une attitude de guerre froide. Le non-alignement demeure l'une des bases de la politique étrangère indonésienne, conformément aux principes mêmes du Pancha Sila qui fondent sa constitution. Au sein des organisations internationales les Indonésiens prennent des attitudes souvent conformes aux intérêts du tiers-monde et sont écoutés. Ils défendent les thèses du nouvel ordre économique mondial, mais la pression américaine ou leur propre prudence les conduisent souvent à la modération. Modérés au sein de l'O.P.E.P. sur le prix du pétrole, modérés dans leurs conceptions du nouvel ordre économique mondial, ils se méfient des pays plus avancés comme l'Algérie dont l'attitude trop militante et indépendante leur semble peu réaliste.

Complexe hérité de l'époque de Sukarno, ils se défient des rodomontades sur la scène internationale. Ils ne veulent ou ne peuvent renouer — au prix peut-être d'une déception de leurs nationalistes — avec la flamboyance de la politique extérieure sukarnienne.

Compter sur soi est la première règle de cette politique étrangère réaliste. Compter sur soi, c'est-à-dire assurer sa défense sans trop espérer des autres et en refusant l'implantation de bases étrangères. Compter sur soi, c'est éviter d'être utilisé pour une stratégie étrangère.

Aussi, les Indonésiens sont-ils sceptiques sur l'utilité des pactes multilatéraux, sur les objectifs desquels ils auraient peu de prises. Ils applaudissent à la suppression de l'O.T.A.S.E., à l'infléchissement progressif de l'A.N.Z.U.S. et du pacte des cinq puissances.

Compter sur soi, c'est enfin maintenir la solidarité sociale que favorise la croissance. Les dirigeants indonésiens aiment utiliser le concept anglo-saxon de « national resilience ». Ils sont volontiers donneurs de leçons d'indépendance nationale. Une conversation avec le ministre des Affaires étrangères, Adam Malik, a été révélatrice sinon surprenante ; selon lui, le président sud-coréen devrait asseoir sa base populaire et démocratiser son régime pour mieux se défendre seul contre les menaces de Pyong Yang ; les Thaïlandais, en remettant un peu d'ordre, en menant une politique plus sociale, pourraient, eux aussi, rester à l'écart des menaces d'infiltration étrangère. La Malaisie, par contre, divisée de l'intérieur par l'importance de ses minorités, par le maintien du féodalisme, n'a pas fait encore sa révolution sociale et politique et, sans cohésion nationale, laisse plus facilement prise aux influences étrangères.

— *La République Populaire de Chine* suscite la méfiance. L'Indonésie qui a été la première nation asiatique à la reconnaître veut être la dernière à renouer avec elle des relations diplomatiques. Les dirigeants indonésiens ont été traumatisés par la soumission à Pékin du P.K.I., à la fin de l'ère sukarnienne. Ils ont peur des minorités chinoises, mais surtout du modèle économique de socialisme rural et d'encadrement d'une population trop nombreuse que propose la Chine. Ils craignent que la reprise des relations ne donne à la Chine les moyens de développer la subversion (ce qui est bien contraire aux principes mille fois affirmés de « national résilience »). L'ambiguïté nationale des Chinois d'outre-mer, une ambassade active, l'implantation exigée par Pékin de consulats disséminés dans le pays, présentent certes des dangers. L'exemple de la Malaisie où, selon les Indonésiens, la nouvelle ambassade de Pékin n'hésiterait pas à déployer sa propagande et remuer les mécontentements, n'est certes pas encourageant.

La reprise des relations avec la Chine est cependant inéluctable à terme. L'Indonésie ne peut être seule dans la région à maintenir cette fiction et les Indonésiens en sont conscients. L'ASEAN ne saurait prétendre avoir une politique étrangère plus ou moins coordonnée si le plus important de ses membres garde vis-à-vis de la plus grande puissance de la région une attitude divergente.

Le neutralisme de principe que défend la politique étrangère chinoise, la fidélité, depuis Bandoeng, aux thèses du non-alignement, entraînent une certaine sympathie.

Le nationalisme indonésien ne ressent-il pas une certaine fascination devant la renaissance de l'Asie qu'ont permise la puissance et la dignité chinoises ? La Chine lointaine est-elle directement menaçante ? Quel serait d'ailleurs l'intérêt de la Chine de susciter un communisme indonésien qui risquerait, nécessairement, d'apparaître puissant et rival.

— *L'U.R.S.S.* a eu avec l'Indonésie des relations contrastées. La conférence de Bandoeng a été réunie en partie contre les Soviétiques. Mais ensuite l'U.R.S.S. s'est rapprochée de Sukarno, lui a fourni une aide économique, du matériel et des conseillers militaires, jusqu'au moment où le rapprochement du P.K.I. avec la Chine a paru inquiétant.

Le contre-coup d'État de Suharto, parce qu'il anéantissait les tendances chinoises, a été bien reçu, sinon favorisé, ainsi que certains le disent, par l'U.R.S.S.

L'U.R.S.S. espère maintenant fournir un contrepoids à l'influence des États-Unis qui ne saurait être exclusive sans mettre en péril la volonté indonésienne d'indépendance.

Pour les Soviétiques, l'Indonésie présente un intérêt stratégique essentiel. Elle est maîtresse du détroit de Malacca qui rapproche l'océan Indien des rivages asiatiques du Pacifique. L'U.R.S.S. qui renforce dans l'océan Indien sa présence

navale voudrait pouvoir l'aborder aussi par le Pacifique et ne
pas dépendre exclusivement de la Méditerranée ou de l'ouverture du canal de Suez. La liberté du détroit de Malacca
rend plus faciles les mouvements de la flotte soviétique dans le
Pacifique et lui permet notamment de contourner plus aisément la Chine par le Sud.

En fait l'aide soviétique est nulle. Les Indonésiens n'ont
même pas voulu envoyer de stagiaires à Moscou. Ils se
méfient du communisme soviétique et ne voudraient pas, en
se rapprochant de Moscou, s'attirer — pour peu d'avantages — les foudres de Pékin ou l'agacement américain. Néanmoins, à des degrés difficiles à déterminer, une complicité
existe. Adam Malik a entrepris une tournée des pays de l'Est
pour affirmer que l'amitié américaine n'excluait pas le maintien des principes du non-alignement. On peut penser que si
le retrait américain dans la région se précisait, ou que l'aide
américaine, sur pression du Congrès, venait à faire défaut,
l'Indonésie, forte de sa masse, inquiète d'une subversion
chinoise en Malaisie voisine, hésiterait peu à chercher l'amitié
soviétique, à l'exemple de l'Inde.

Pour les Indonésiens, la grande rivalité qui conditionne
l'avenir de la région est celle des Russes et des Chinois. Ils ne
veulent certes pas l'envenimer. Mais si nécessité se faisait
sentir, probablement, seuls dans la zone, seuls à l'intérieur de
l'ASEAN, ils préféreraient le camp soviétique. L'appui américain, l'éloignement des dangers leur permettent pour le
moment de ne pas se prononcer.

— *Les États-Unis* ont avec l'Indonésie une entente ambiguë.
Ils sont notoirement les fondateurs et les principaux soutiens
économiques et militaires du régime. Leur aide militaire est
pourtant modeste. Elle a été doublée en 1975 et portée à 40
millions de dollars, élargis par quelques subtils virements de
crédits et par la vente à bas prix du matériel retiré du Viêt-

nam. La chute de Saïgon a considérablement réduit la crédibilité de leur soutien.

Ce ne sont pas les déclarations formelles et peu convain-
cantes du président Ford à l'occasion de son passage à
Djakarta qui ont pu rassurer les Indonésiens.

Les officiels indonésiens constatent volontiers que — en
dehors de la Corée — la ligne de défense américaine s'est
pratiquement retirée des bases continentales pour se canton-
ner dans des implantations insulaires (Philippines, Japon,
Micronésie).

Quelle peut être alors la signification réelle de leur zone
d'influence économique et politique en Asie du Sud-Est dont
l'Indonésie est aujourd'hui l'élément essentiel ?

Certes la réussite indonésienne est un succès et une sécurité
pour l'Occident. Mais en dehors d'une aide économique ou
de quelques faveurs militaires, que représente vraiment un
engagement américain qui n'a même plus de justification
militaire ? Son efficacité — malgré des moyens énormes — n'a
pas été démontrée durant toute la guerre du Viêt-nam et son
maintien reste aléatoire, car on a appris à Djakarta que les
humeurs du Congrès, les rythmes de la politique intérieure
américaine comptent plus qu'un engagement du président
des États-Unis. Or deux aspects de la politique de Djakarta
sont sensibles à l'opinion publique américaine et risquent de
susciter des réactions hostiles du Congrès : les prisonniers
politiques qui soulignent le caractère dictatorial du régime,
l'attitude indonésienne au sein de l'O.P.E.C. L'Indonésie
pays aidé, qui ne peut, comme l'Arabie Séoudite, invoquer la
solidarité arabe pour se justifier, ne saurait s'opposer en
matière de prix du pétrole à ses bienfaiteurs.

Le président Suharto sait bien que, dans l'état actuel des
choses, la survie économique du pays et la stabilité politique
de son régime dépendent pour l'essentiel de l'aide américaine
et de son rôle incitateur sur ses alliés. Mais il doit aussi, pour
des raisons de politique intérieure autant que d'équilibre
international, maintenir ses distances sous peine d'être accusé
de soumission.

L'Indonésie fait semblant de croire *en l'ASEAN*. Elle y reconnaît le moyen de conforter des nations voisines dont les intérêts sont complémentaires et dont la volonté d'échapper au communisme est le seul ciment véritable.

Certes, au sein de l'ASEAN, la coopération économique est faible, la coopération militaire pratiquement nulle, la coopération culturelle se limite aux déclarations d'intention, la diplomatie diverge sur des points aussi essentiels que la reconnaissance et la Chine. Des conflits frontaliers, malgré la prudence des gouvernements, subsistent.

Néanmoins, les grandes confrontations ont cessé. Finie la « Konfrontasi » de Sukarno qui a opposé successivement l'Indonésie à la Malaisie et à Singapour, pour le rêve d'une grande fédération malaise. Mais ce souvenir d'une époque spectaculaire rend l'Indonésie prudente. Malgré son incontestable supériorité : démographique, économique, et politique, elle s'interdit de jouer trop ostensiblement à l'intérieur de l'ASEAN un rôle leader. Elle a accepté d'en accueillir le siège, mais s'attache à ne pas inquiéter ses partenaires par son zèle « communautaire » qui prendrait vite une tonalité hégémonique.

L'inquiétude manifestée par les Indonésiens à l'égard de la situation en Malaisie peut remettre en cause ces données de prudence. La Malaisie est proche, trop possiblement contagieuse, pour que l'Indonésie puisse assister passive à sa contamination. Quand la Malaisie sera-t-elle vraiment en situation critique ? Une intervention paraîtra-t-elle souhaitable ? Et quelle forme pourrait-elle prendre ? Peut-on aller jusqu'à envisager une intervention militaire ? L'exemple de Timor, où l'Indonésie a attendu beaucoup, pour ne pas effaroucher la communauté internationale et garder sa réputation de nation pondérée, est significatif. Mais à partir d'un certain point, la naissance d'un État révolutionnaire à ses frontières lui devient insupportable et tout naturellement elle

assume le rôle de gendarme régional qui lui confère sa
dimension.

En elle seule réside sa force. Elle le sait, elle ne devrait pas
hésiter à la manifester si nécessaire pour assurer son régime et
ses frontières qui sont immenses et indécises.

Vis-à-vis de *l'Indochine*, l'Indonésie est prudente. Dès l'origine l'engagement américain au Viêt-nam lui a paru sans
espoir et la chute de Saïgon répondre à une évidente fatalité.
La puissance vietnamienne est considérable mais lointaine.
D'une certaine manière et jusqu'à un certain point, elle
contient la Chine, ce qui satisfait les Indonésiens.

Pour des raisons diverses d'équilibre le Cambodge et le
Viêt-nam cherchent à diversifier leurs alliances. Les autres
nations du Sud-Est asiatique présentent, pour ce faire, des
fraternités nouvelles.

L'Indonésie n'est pas hostile à l'idée d'une association des
pays d'Indochine et de la Birmanie à l'ASEAN dans une perspective commune de neutralisation de la zone, traduite chez
les Indonésiens en termes antichinois.

Cette association pourrait-elle tempérer le zèle révolutionnaire des Vietnamiens et les associer aux mirages de la croissance ? La réponse des Vietnamiens et des Birmans a été négative : comment croire au neutralisme des nations de l'ASEAN
dont quelques-unes abritent des bases étrangères, et qui,
comme l'Indonésie, proposent un modèle de croissance
économique dépendant de l'étranger. Ces positions peuvent
s'atténuer un jour.

Le Japon est un partenaire économiquement indispensable
mais politiquement insupportable, son économie fait preuve
d'un dynamisme parfois excessif. Ses « yen credits » aux
conditions financières avantageuses, sa qualité de premier

partenaire commercial et de premier investisseur n'effacent pas le souvenir des atrocités de la Deuxième Guerre mondiale, le dynamisme outrancier et la présence abusive de ses hommes d'affaires, la collusion du capitalisme sauvage à la japonaise et d'une médiocre société de consommation.

En Indonésie, comme partout en Asie du Sud-Est, la présence japonaise est un handicap politique pour les régimes qui la favorisent, on l'a vu lors des émeutes de 1974. Mais la réussite de la politique économique actuelle implique le maintien de la présence japonaise.

L'insuffisance politique du Japon est durement ressentie. Il dépend trop exclusivement des États-Unis pour sa protection militaire, il est trop lié à l'économie occidentale par son état de nation industrielle quand il ne s'y oppose pas. Il ne peut s'associer véritablement aux volontés d'indépendance des pays dans la zone — notamment de l'Indonésie — dont les intérêts diplomatiques, militaires ou économiques sont différents.

Pour Adam Malik, le renforcement dans la zone d'une présence européenne inspirée par la France pourrait montrer aux Japonais la voie d'un plus grand neutralisme.

Pourtant le Japon ne peut se désintéresser de l'Indonésie qui lui procure une part de ses matières premières et un marché important. Le détroit de Malacca, par lequel passe l'essentiel de son pétrole et de son commerce en direction de l'Europe et du Moyen-Orient, représente, surtout depuis la réouverture du canal de Suez, une artère vitale pour sa survie économique.

L'Australie étonne. On perçoit sa volonté asiatique, son désir d'atténuer les absurdités de l'histoire qui a placé ce continent presque vide et peuplé d'hommes blancs au bord des fourmilières jaunes. L'Indonésie se sent avec elle des intérêts communs. Mais l'attitude de l'ancien gouvernement Whitlam, d'une opinion publique remuée par les pacifistes, vis-à-vis de la dictature indonésienne et de ses mesures expansionnistes à Timor, a entraîné un certain refroidissement des relations.

L'Australie paraît inconséquente, passant sans nuances de la solidarité occidentale militante à une forme de démission pacifiste sans perspectives véritables.

Nation musulmane, l'Indonésie devrait rechercher des liens privilégiés avec *le monde arabe*. Productrice de pétrole, elle partage avec lui des intérêts objectifs communs. Mais deux éléments limitent cette complicité : l'Indonésie ne veut pas faire de l'Islam une religion d'État qui lui aliénerait ses minorités chrétiennes et justifierait notamment l'autonomisme des Célèbes ou des Moluques.

Sa volonté moderniste ne veut pas s'empêtrer dans les réticences de l'intégrisme musulman ; l'amitié américaine tempère la solidarité avec les puissances arabes, quant à la politique pétrolière, ou quant à la cause palestinienne.

Il a fallu attendre la fin de 1975 pour qu'à l'image d'autres nations du tiers-monde, l'Indonésie reconnaisse l'O.L.P. et se détache d'Israël. Cette attitude trop prudente a limité l'aide des pays arabes pétroliers en Indonésie ; membre de la Banque islamique, l'Indonésie reste cependant en marge des financements arabes.

Les tournées des responsables des fonds arabes n'ont pas encore été couronnées par des réalisations. Les investisseurs du Golfe sont prudents — seul l'Iran, qui partage le même islamisme nuancé, a consenti un prêt de 200 millions de dollars.

Les Ulémas et les nationalistes poussent à ce que l'Indonésie s'associe plus étroitement à ce grand courant du tiers-monde auquel elle devrait naturellement participer. L'amitié française peut offrir un point de contact supplémentaire avec le monde arabe.

Empêtrée dans ses nostalgies sukarniennes et dans ses liens

avec les États-Unis, l'Indonésie ne sait pas, ou ne veut pas, choisir des solidarités trop étroites avec les pays arabes dont le rôle, au sein du tiers-monde, leur paraît ambigu.

L'Europe lointaine reste présente par une multiplicité de connivences historiques. La colonisation hollandaise n'a pas marqué. Quelques élites parlent encore la langue. Les Hollandais font un effort pour maintenir des amitiés, des souvenirs et une présence culturelle. Néanmoins, dans l'esprit des Indonésiens, ils sont dissous dans l'entité européenne admise comme une réalité objective. Considérée de l'extérieur, l'Europe existe. On ne se prête pas aux nuances des États.

L'Indonésie voit dans l'Europe un partenaire peu compromettant, maintenant avec les États-Unis des relations aussi distendues qu'elle tente d'en avoir elle-même, cherchant à diversifier ses amitiés tous azimuts, ayant un bon crédit auprès de l'U.R.S.S. mais aussi auprès de la Chine. La puissance économique de l'Europe est respectée. On connaît le dynamisme allemand, la présence encore visible des Anglais à Singapour et en Malaisie. Les Européens sont des créanciers conciliants, membres actifs de l'I.G.G.I. On souhaite renforcer les liens commerciaux avec la C.E.E.

La France européenne joue un rôle particulier, on connaît son passé asiatique. Elle a conservé des amitiés en Indochine, et la justesse de ses analyses politiques dans le conflit vietnamien est respectée. On sait que la Chine la considère, qu'elle entretient avec l'U.R.S.S. des relations privilégiées. Elle a manifesté très tôt, à l'aube du nouveau régime, sa considération pour l'Indonésie nouvelle en envoyant le ministre de l'Industrie, Olivier Guichard, inaugurer le barrage de Djatilur en 1966, bâti et financé par les Français. Depuis elle a marqué un intérêt croissant pour l'Indonésie. Ses hommes d'affaires y sont présents et dynamiques, les crédits consentis importants. Les Indonésiens sont favorables à son influence au sein de la C.E.E.

La France, par sa volonté d'indépendance nationale, tente d'imprimer à la construction européenne une coloration neutraliste qui est sensible aux Indonésiens. Rechercher son amitié c'est manifester de la sympathie pour une certaine conception, plus indépendante, plus multipolaire, de l'Europe, montrer la voie d'une conciliation asiatique vers l'Indochine, éviter une attitude par trop hostile vis-à-vis de la Chine, indiquer au Japon les recettes d'un peu d'autonomie, renforcer ses relations avec le monde arabe, considérer les attitudes favorables au tiers-monde d'une diplomatie fondée par le gaullisme et déployée par le président de la République française, partager son capital d'amitiés.

Toutes ces appréciations sont un peu littéraires. La France a certes un capital politique important dans la zone. Mais il ne faut pas se faire d'illusion. Les gouvernements de l'ASEAN, l'Indonésie en particulier, soumis à une multiplicité d'influences notamment anglo-saxonnes, ne lui consentiront pas des faveurs particulières. Une ouverture en matière de fournitures militaires serait possible et logique. Mais les industriels français ne doivent pas rêver que la compétitivité économique puisse être corrigée par la faveur politique. Les firmes françaises doivent leur succès à leur volonté de présence, à l'octroi d'un montant important de crédits à l'exportation consentis par le gouvernement français, mais aussi à l'accroissement des revenus indonésiens qui a permis des fournitures financées sur crédit commercial.

La présence culturelle est faible. L'Indonésie a peu de liens traditionnels de culture ou d'histoire qui la rattachent à la France. Un certain humanisme européen y a coloration hollandaise. Les techniciens et technocrates sont formés aux États-Unis. Nous ne pouvons que veiller à donner les moyens d'acquérir notre langue à ceux qui devront utiliser nos techniques. Pour cela, développer sur l'archipel des centres d'enseignement du français, à l'image du centre culturel de Djakarta qui fonctionne bien, et multiplier les stages en France ou la coopération technique sur place.

L'intérêt que depuis quelques années la France a porté à l'Indonésie relève d'une juste appréciation de notre présence dans la zone. En dehors des interventions extérieures soviétiques ou américaines, l'Asie du Sud-Est aujourd'hui s'équilibre entre trois influences internes qui s'opposent en nuances, au gré des éloignements, des fanatismes ou des relatives solidarités géopolitiques ; la Chine dont la toute-puissance, la dignité, la réussite économique et rurale sont exemplaires ; le Viêt-nam expansionniste et révolutionnaire qui offre en modèle son courage, sa victoire toute neuve et sa puissance militaire incontestable, l'Indonésie qui s'essaye à un autre type de croissance libérale, mais par sa dimension rayonne sur les nations de l'ASEAN et se sent, dans son immense torpeur, garantie et inexpugnable.

Avec ces trois piliers de la réalité régionale, la France entretient pour diverses raisons des relations privilégiées. Elles doivent le rester. Son aide financière, ses crédits à l'exportation devraient être maintenus, son assistance technique renforcée dans certains secteurs très spécifiques. Il n'est pas improbable que la France sache intéresser à des opérations triangulaires, les investisseurs arabes publics ou privés qui sont désorientés par ce monde immense et désorganisé, notamment dans le domaine de l'exploitation des matières premières.

Un voyage officiel à Djakarta du président de la République française rendant sa visite au président Suharto marquerait l'intérêt économique et politique que nous portons à nos relations avec l'Indonésie. Dans un discours à Djakarta, siège de l'ASEAN, le président de la République aurait l'occasion de célébrer et d'encourager les principes de neutralité qui animent cette association. Même si l'on doit rester sceptiques sur sa réalité, son objectif d'indépendance et d'apaisement régional apparaît respectable, et pourquoi ne pas espérer que d'une lente accoutumance pourrait naître une solidarité plus précise ?

Après la visite à Paris de M. Pham Van Dong, marquant le retour de nos relations privilégiées avec le Viêt-nam, une visite à Djakarta du président de la République montrerait aussi que nous n'avons plus de cette région une perception uniquement indochinoise, et que nous y reconnaissons le poids et l'influence particuliers de l'Indonésie.

Devant les menaces renouvelées d'interventions extérieures, même si les protagonistes en sont différents, n'est-il pas temps, après la paix vietnamienne, que les nations qui constituent l'Asie du Sud-Est ou les idéologies qui la traversent, puissent effacer leurs antagonismes ? La France, en ouvrant le dialogue successivement avec Hanoï et avec Djakarta, pourrait montrer la voie.

La France défend la naissance, dans le monde, de régions plus autonomes parce que plus solidaires, qui se servent de leur cohésion pour prévenir les influences extérieures, et qui tendent à définir entre elles des complémentarités. La politique méditerranéenne de l'Europe, le dialogue euro-arabe auquel l'ouverture du canal de Suez donne des perspectives géographiquement plus larges, débouchent aussi sur l'océan Indien, et même sur le Pacifique dont l'Indonésie garde l'entrée, et où elle peut être d'une certaine manière un élément de stabilité.

VI.

Les Philippines

Les Philippines surprennent. Peut-être parce qu'elles sont isolées et mal connues, et que leur situation est exceptionnelle dans l'Asie du Sud-Est. Avec un produit national brut qui est le deuxième dans la région après l'Indonésie, un taux d'alphabétisation qui est le deuxième en Asie après le Japon, une population de près de 40 millions d'habitants, les Philippines représentent l'un des États les plus importants de cette zone du monde.

L'histoire a éloigné les Philippines de leur voisinage naturel. Ce fut le premier peuple d'Asie colonisé, par l'Espagne au XVIe siècle et pour plus de trois cents ans, puis par les États-Unis, mais aussi le premier décolonisé, sans violence et sans haine, en 1946.

Les traditions étrangères ont été assimilées par une population mélangée, malaise, protomalaise, divisée en plus de quatre-vingts races et dialectes. Les Philippines sont, avec le Brésil, une des rares nations métisses. Cela implique une forme de nationalisme qui — étrangement dans cette partie du monde — n'est pas xénophobe. Toutes les gammes raciales se confondent. Le métissage espagnol rejoint dans les mentalités le sens américain du « melting pot ». Seuls les musulmans du Sud, vestiges de la colonisation des sultans indonésiens, se sentent rejetés. Les minorités chinoises se contentent de la réussite de leurs entreprises.

L'Espagne a apporté le catholicisme qui est la religion superstitieuse de 80 % de la population et qui élabore des structures mentales qui sont plus proches des nôtres. 10 % sont protestants — legs américain. Seulement 7 % sont musulmans. Les Espagnols ont aussi laissé, à la mode d'Amérique latine, une structure de propriété latifundiaire et des relations étroites de paternalisme protecteur entre propriétaire et paysan.

Les États-Unis se sont chargés de l'éducation des masses. Les Philippines peuvent se vanter d'être la troisième nation anglophone du monde après les États-Unis et l'Angleterre, mais avant l'Inde où l'anglais n'est connu que de l'élite, le Canada où il est équilibré par une forte minorité francophone. Le taux de fréquentation universitaire est élevé. L'alphabétisation est la règle.

Cette nation occidentalisée, qui abrite pourtant les tribus les plus primitives du monde, découvertes intactes dans les îles du Sud, n'a ni les complexes ni les rancœurs de la colonisation. Elle ne garde un souvenir xénophobe que de la conquête japonaise pendant la Deuxième Guerre mondiale, à laquelle elle a su répondre par une authentique résistance nationale.

Tous les schémas d'appréciation qui reposeraient sur une expérience de l'Asie du Sud-Est devraient être révisés en tenant compte d'une réalité spécifique qui n'est ni celle du monde malais voisin ni celle de l'Indochine, mais qui comporterait un peu de Far West américain et beaucoup d'hispanité d'Amérique latine.

Depuis 1972, date de la loi martiale, un régime intérieur relativement stable camoufle de graves contradictions.

POLITIQUE INTÉRIEURE

Le régime Marcos est fort. La loi martiale a changé l'ordre constitutionnel des pouvoirs, en donnant à l'exécutif une

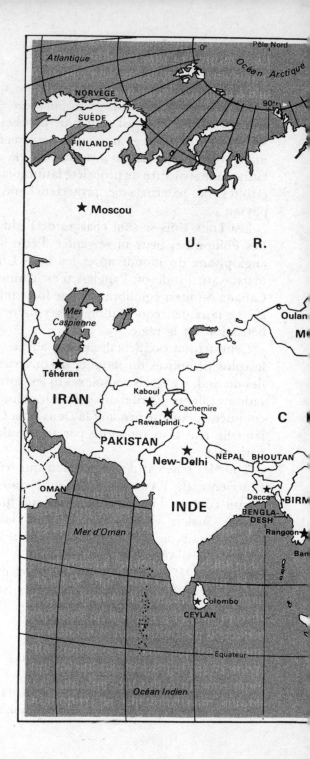

suprématie absolue selon un schéma qui s'apparente à celui
de notre article 16. Le bâillonnement d'un Congrès tout-
puissant et anarchique a permis à Marcos de briguer un troisième mandat, qui lui était interdit par la constitution, d'em-
prisonner ou de faire taire ses opposants et de museler la
presse. Le rétablissement de l'ordre et de la paix civile sans
démonstration apparente de force militaire a été apprécié par
la population qui avait souffert de l'insécurité et de la corruption nées de l'anarchie du Congrès divisé en clans opposés, en
armées privées, en mafias concurrentes, incapable de voter la
loi et de la faire respecter.

Aujourd'hui la sécurité est dans la rue et chacun l'apprécie.
La concussion est plus « centralisée », au plus haut niveau de
l'État. Le petit peuple en souffre moins. Il n'y a plus de lois,
au sens formel du terme, mais des décrets passent. Une technocratie moderne, formée à l'école américaine, prétend gérer
le pays au nom de l'efficacité « apolitique ». Le développement économique, l'amélioration de la balance des paiements, le lancement des grands projets d'industrialisation et
d'équipement, l'arrivée des capitaux étrangers semblent
donner une justification à cette remise en cause de l'ordre
légal antérieur qui était déjà bien fictif.

— Les hommes de l'ancienne *opposition légale* sont exilés,
comme l'ancien vice-président Lopez, ou en prison, comme le
sénateur Aquino. La bourgeoisie des villes, l'intelligentsia qui
fait justement la force du pays, les chefs de clans dans les
campagnes ne renoncent pas sans regret aux jeux de la démocratie formelle. Quelques-uns des anciens dirigeants restent
populaires, auréolés de martyre : « Que la république était
belle sous l'empire ! » Mais le régime antérieur a laissé un
trop mauvais souvenir pour que la propagande officielle n'en
tire pas avantage aux dépens de ses opposants.

Une tradition révolutionnaire existe. L'armée populaire de
résistance contre les Japonais, les Huks, a été structurée par
les communistes et a réussi à s'appuyer sur les revendications
paysannes. Mais avec l'aide américaine, elle a été démantelée.
Elle subsiste encore dans les régions montagneuses du nord

de Luzon. Le contexte international lui est moins favorable. Mais elle peut toujours devenir le noyau dur de l'organisation du mécontentement paysan. Ni les ouvriers ni les étudiants ne sont suffisamment organisés pour pouvoir exprimer leur mécontentement.

— *L'Église* seule évite que l'on aille trop loin dans la tentation de la dictature. Elle défend un minimum de liberté et de justice. Certes, elle est traversée de courants de gauche plus radicaux, mais elle se contente d'éviter d'être assimilée au régime dur de Marcos. L'archevêque de Manille mène avec habileté ce jeu de modération. Il n'est pas exclu — ainsi qu'on le laissait entendre à Manille — que les Américains gardent cette carte pour proposer ou soutenir un jour venu une solution de rechange qui ne soit pas proprement révolutionnaire.

Le régime de Marcos ne suscite ni haine ni enthousiasme. Il est né de la lassitude plus que de l'espoir. Cela constitue à la fois sa force et sa faiblesse.

— *Le mécontentement paysan*. La promesse de réformes agraires ne suffit pas, les réalisations ont été limitées. Elle ne s'applique qu'aux terres à riz et à céréales, et non pas aux grandes plantations de caoutchouc, de coco ou de sucre qui, pourtant, utilisent des salariés, mal payés, vivant souvent dans des conditions effroyables. Les quelques paysans bénéficiaires des réformes sont mal organisés et ne peuvent bénéficier des moyens de cultiver leurs nouvelles terres. Ils restent ainsi sous l'emprise des anciens latifundiaires. La tradition paternaliste fait le reste pour maintenir l'état antérieur. Il semble d'ailleurs que le gouvernement, pris entre les deux feux des paysans difficiles à contenter qui veulent la réforme agraire sans être prêts à en payer les conséquences et des grands propriétaires, choisisse l'immobilisme faute de moyens et, de ce fait, favorise les possédants. Les malheurs naturels, typhons, inondations, baisse du prix du riz, augmentation du prix des engrais, le poids des intermédiaires, les exactions d'une armée sûre d'elle, dans certaines provinces peuvent constituer autant de facteurs de « jacqueries » dans un monde paysan violent et spasmodique qui, il n'y a pas si longtemps, a connu l'encadrement politique des Huks.

Le développement économique, qui est la justification essentielle du régime Marcos, passe par l'urbanisation et l'industrialisation. Cette naissance d'un prolétariat urbain, qui a durement ressenti dans son niveau de vie les conséquences de la crise économique et de l'inflation mondiale, peut faire problème. Manille, plus que toute autre ville d'Asie, est un amalgame composite de quartiers riches entourés de barbelés et de bidonvilles aussi pauvres que ceux de l'Amérique latine. L'inflation a fait des ravages. Le chômage est là. La misère et la malnutrition apparaissent. Le monde urbain déraciné peut devenir disponible pour une aventure politique, si la situation économique des masses — comme le confessent d'ailleurs les responsables du régime — ne s'améliore pas. La disparité trop grande des revenus est exacerbée par le grand train de vie d'une petite élite, de la première dame, Mme Marcos, et de sa petite cour. Certes, la presse est muselée et l'information ne rend pas compte de ces injustices. Mais le thème de la corruption est devenu, dans l'Asie tout entière, un facteur révolutionnaire.

Avec un taux d'accroissement de 3 % exceptionnellement élevé, la moitié de la population qui a moins de quinze ans, les Philippines au rythme actuel devraient atteindre 89 millions d'habitants en l'an 2000. Même l'Église reconnaît la nécessité d'une restriction des naissances à un taux de 2,5 %. L'équilibre économique risque d'être remis en cause par la démographie. La population jeune, plus instruite et plus exigeante, n'aura pas la passivité paysanne des générations antérieures.

Legs américain et grande force des Philippines, l'éducation représente un tiers du budget de l'État. Les universités sont d'un bon niveau. Mais l'économie n'est pas encore mûre pour absorber ceux qui sont formés. Les Philippines exportent des techniciens, des docteurs, des professeurs aux États-Unis, en Amérique latine et même dans les pays arabes. C'est un des rares pays qui ne souhaitent pas le retour de leurs élites. Les départs vers l'Amérique accueillante et de civilisation voisine créent un exutoire politique autant qu'économique.

Mais la force de l'intelligentsia philippine — exceptionnelle en Asie et atout majeur pour le développement économique — peut à elle seule constituer un problème politique.

L'existence d'une guerre meurtrière à Mindanao contre les provinces musulmanes risque d'entraîner un processus « à l'angolaise » chez les jeunes officiers d'origine populaire. Ils ressentent, sur le terrain, l'opposition entre leurs chefs couverts d'honneurs, gérontes qui jouissent de la participation au pouvoir et que Marcos a su neutraliser, et leur propre condition. Dans quelle mesure ont-ils la volonté ou les moyens techniques d'un coup d'État ? Ils sont loin de la ville, leur armée dans les campagnes n'est pas populaire. Mal tenue, mal payée, elle rançonne. Mais la guerre dure et les rancœurs s'accumulent.

LES CLANS ET LA DÉCOMPOSITION INTERNE DU RÉGIME

Le système est bien installé. Il repose sur un homme dont la popularité est neutre. Après tout, si l'ordre règne pour la satisfaction encore relative de tous, celui qui le personnifie est bien remplaçable. Il n'est ni un héros national ni un fondateur, mais un habile tenant de l'ancien régime dont il a bénéficié pendant deux mandats, qui a réussi mieux qu'un autre à la tête de l'État et auparavant comme président du Sénat. Il s'isole. Inquiet du coup d'État, de l'assassinat. Il ne quitte pas sa capitale. Les technocrates qui le servent peuvent imaginer qu'un retour à une autre forme de légalité peut mieux servir leurs objectifs. Les grandes familles se méfient de ce parvenu qui maintient l'ordre, mais les spolie et les abreuve d'humiliations personnelles. Les excès de Mme Marcos — qui n'est pas Eva Peron — peuvent faire sourire tant qu'ils ne sont pas connus des populations. Mais déjà, au niveau de la technostructure, on s'oppose à elle, à sa cour, à sa volonté de se mêler de tout, à la faiblesse du dictateur qui lâche la bride à sa

fringante épouse. La technocratie sérieuse n'aime pas être
soumise au pouvoir sybarite. Finalement, le régime est lié au
développement économique. Il justifie l'ordre imposé. Mais
les réformes devront suivre. Or elles tardent à venir et, dans
un contexte social fragile, elles risquent d'apporter autant de
problèmes que de solutions.

POLITIQUE INTERNATIONALE

Après avoir été un des principaux tenants de l'ordre américain et de l'anticommunisme, après avoir soutenu un combat
contre la menace révolutionnaire des Huks et en avoir triom-
phé, les Philippins, champions du manichéisme en politique
étrangère, ont découvert avec les besoins d'une politique plus
nuancée que l'Asie appartenait aussi aux Asiatiques. La
promulgation de la loi martiale en 1972 a été rapidement
suivie par *une évolution des relations avec les États-Unis*, puissance
traditionnellement tutélaire. Ainsi, les accords privilégiés avec
les États-Unis « Laurel-Langley » qui avaient été le fondement de l'économie « coloniale » philippine, ont été dénoncés. Comme les autres pays de la région, les Philippines
découvrent le nationalisme économique. Il n'est pas exclu
que Marcos cherche aussi sa popularité en apparaissant
comme un nationaliste jaloux. Sur le plan militaire, la présence des bases américaines, qui était une institution incontestée,
commence à être discutée. Les dirigeants philippins y prétendent voir autant une menace d'attaque qu'une protection. En
cas de subversion, ils savent que la présence américaine ne
peut avoir aucun effet. En cas de guerre conventionnelle —
l'escalade est sans nuances dans une île — l'exemple vietnamien prouve que les bases sont peu dissuasives. De deux
choses l'une : les Américains ont vraiment besoin des Philippines et ils ont les moyens de les protéger à partir d'ailleurs
ou, ce qui est plus probable, ils estiment qu'elles ne sont pas
indispensables à leur défense et les bases n'offriront aucune
garantie.

A Manille, on aime à laisser entendre que la population est hostile à la présence américaine, ce qui est très probablement exagéré, car les Américains sont discrets. Mais, en fait, dans la renégociation des accords américano-philippins, les Philippines essayent d'exiger une aide économique accrue pour compenser le maintien des bases, de plus en plus coûteux politiquement.

Les affaires d'Indochine, l'attitude du Congrès américain détruisent certes la crédibilité de leur soutien, mais soulignent aussi leur mauvaise analyse des problèmes politiques à laquelle s'est associée la diplomatie philippine. Ce revirement de politique étrangère peut susciter quelque inquiétude aux États-Unis. On va jusqu'à imaginer à Manille que l'administration américaine pourrait mettre un frein à cette nouvelle politique extérieure — au nom de la démocratie — par un changement de régime.

Il est certain que le régime Marcos n'est pas populaire aux États-Unis. Le Congrès ne lui est pas favorable. Il ne votera pas facilement une aide économique aux Philippins accusés de dictature. La vieille classe philippine libérale, complice des Américains, représente aux États-Unis un puissant *lobby*, hostile à Marcos. La personnalité de l'ambassadeur Bill Sullivan — qui n'hésite pas à porter des jugements très durs sur le régime en place — aggrave les inquiétudes et suscite des attaques, même au palais présidentiel.

— Les Philippines découvrent leurs voisins asiatiques.

L'ASEAN est un bon intermédiaire pour asseoir leur présence régionale et se détacher des États-Unis. Mais les Philippines ont plus besoin de l'ASEAN que l'inverse.

La Thaïlande lancée dans une politique de reniement américain a quelque suspicion vis-à-vis de Marcos et, somme toute, peu d'intérêts communs avec les Philippines. Singapour se contente de commercer. La fédération malaise est un peu en retrait, car le gouvernement musulman de Kuala-Lumpur ne peut paraître trop ostensiblement désavouer l'État membre de Sabbah qui mène à Mindanao un combat religieux et l'inciter ainsi à la sécession. L'Indonésie est plus amicale et se reconnaît une parenté idéologique. Mais, là aussi, le différend musulman incite à la prudence.

— Le rapprochement avec *la Chine* est le symbole d'une attitude plus neutraliste. Les Philippines reconnaissent une manière de suzeraineté chinoise sur la région, en espérant que leur insularité les préservera d'une plus grande connivence. Les dirigeants de Manille font surtout confiance à l'intérêt des Chinois de maintenir dans la zone une stabilité pacifique. Certes, ils se font prudents. Le voyage de Mme Marcos à Pékin a été le premier pas vers une reconnaissance. L'annonce d'un éventuel voyage du président Marcos au mois d'octobre précisera les choses. La Chine continentale tente d'offrir des avantages économiques sous forme notamment d'accords pétroliers. On se hâte lentement. Le *lobby* de Taïpeh est fort, d'autant plus fort qu'une part importante du commerce philippin se fait avec Formose, que la parenté idéologique a longtemps été étroite, que l'armée philippine est très proche de sa voisine de Taïwan. Il est possible aussi que les États-Unis fassent pression pour que les Philippines gardent des liens avec leurs anciens alliés, mais la mort de Tchang Kaï-chek peut remettre en cause le poids de ces soutiens.

— La découverte de la Chine est le corollaire du désengagement américain et d'une réappréciation de la *politique vis-à-vis de l'Indochine*. On ne croit plus à Manille à la théorie des dominos. La cohabitation avec les régimes neutralistes, nationalistes et socialisants de la péninsule indochinoise ne suscite aucune inquiétude. La « real politik » de Kissinger a fait des émules dans la zone.

— *Le Japon*, qui a été un ennemi sanguinaire pendant la Deuxième Guerre mondiale, reste un partenaire commercial privilégié. Les Philippines se réjouissent peut-être des réactions d'hostilité que les Japonais suscitent chez tous leurs voisins, mais, quant à eux, par manque de xénophobie et par conscience de leurs intérêts économiques, ils ne s'y associent pas.

— *La rébellion musulmane de Mindanao*, autant que la crise pétrolière ou que le besoin de garder des liens d'amitié avec les puissances musulmanes et la région Indonésie et Malaisie, a conduit les Philippines à avoir *une politique arabe*. Le président Marcos a joué assez habilement. Il a cherché à couper les minorités du Sud de leur soutien international arabe et musulman. Des pourparlers ont eu lieu à Djeddah entre les leaders de la rébellion et le gouvernement Philippin, sous l'égide de la Ligue islamique. Tout cela reste assez formel, car la Ligue islamique n'a qu'un poids politique relatif et peu d'influence.

Certes les pays arabes défendent a priori les frontières existantes. Le roi Fayçal était favorable à une solution aidant un pays modéré et anticommuniste. Sa mort peut remettre en cause à la fois l'efficacité et le prestige de la médiation séoudienne.

Le Koweit — qui fait profession d'apolitisme en matière économique — n'hésite pas à proposer des financements aux Philippines par l'intermédiaire du Fonds national de développement économique et social.

Mme Marcos avait fait la tournée des amitiés arabes, l'Égypte de Sadate, l'Algérie révolutionnaire et tiers-mondialiste, mais toutes ces manifestations de modération ont-elles un impact favorable sur la rébellion de Mindanao, autant sociale que religieuse, et qui garde ses deux soutiens essentiels, l'argent libyen et l'aide logistique de Tun Mustapha, le chef musulman fanatique de l'État malais de Sabbah ? Les puissances islamiques voisines, la Malaisie directement intéressée ou l'Indonésie, gardent une attitude raisonnable de spectateurs qui ne veulent ni désavouer un combat musulman fraternel ni remettre en cause le statu quo régional.

— Comme partout en Asie du Sud-Est, *l'Europe* apparaît comme un dérivatif. Son influence politique est lointaine, son poids économique est léger. On attend d'elle qu'elle montre le chemin d'une troisième force dont on cerne mal la définition. On est en faveur de l'Europe parce qu'on se méfie des États-Unis, parce que la Chine ne lui est pas défavorable, parce qu'il est hors de question, en introduisant l'U.R.S.S., de remplacer une puissance par une autre. Comme partout en

Asie du Sud-Est, on perçoit l'Europe comme une entité unie, un modèle régional plus perfectionné et plus solidaire que l'ASEAN. On l'appelle de ses vœux — au nom souvent de vieilles complicités coloniales — sans savoir vraiment ce qu'elle peut apporter d'autre que de maigres avantages commerciaux au niveau du Marché commun.

— *La France*, comme toutes les nations européennes, en dehors de l'Espagne pour des raisons historiques, est presque totalement inconnue aux Philippines. Elle a cependant des atouts en sa faveur : sa réputation d'entretenir de bonnes relations avec la Chine, la justesse de sa politique indochinoise, le rôle éminent qu'on lui prête dans le Marché commun.

Il conviendrait de tirer avantage de la rentrée politique que notre pays effectue en Asie du Sud-Est à l'occasion des déclarations récentes du président de la République sur le problème indochinois qui ont été accueillies favorablement. Il appartiendrait à nos ambassadeurs de faire un effort d'explication dans ce sens.

En Malaisie, la visite de Valéry Giscard d'Estaing, alors ministre de l'Économie et des Finances, a marqué des liens privilégiés. Singapour a reçu une exposition commerciale et plusieurs missions gouvernementales. L'Indonésie sent que sa puissance économique a été prise en considération. La Thaïlande, incertaine, est encore entre parenthèses. Il conviendrait de faire assez rapidement un geste politique en faveur des Philippines pour marquer l'intérêt que nous attachons à ce pays dont le potentiel économique et les éléments de stabilité doivent être pris en considération.

L'impression de ce livre
a été réalisée sur les presses
des Imprimeries Aubin
à Poitiers/Ligugé

pour les Éditions Ramsay

Achevé d'imprimer le 28 février 1977
N° d'édition, 131. — N° d'impression, 9661
Dépôt légal, 1er trimestre 1977

Imprimé en France